猫侦探
梦魇海的海盗

[俄罗斯] 卡佳·玛图什吉娜／著
陈玉增　邢淑华／译

江苏凤凰科学技术出版社
·南京·

图书在版编目（CIP）数据

猫侦探. 梦魇海的海盗 / (俄罗斯) 卡佳・玛图什吉娜著 ; 陈玉增, 邢淑华译. — 南京 : 江苏凤凰科学技术出版社, 2021.6

ISBN 978-7-5713-1857-4

Ⅰ. ①猫… Ⅱ. ①卡… ②陈… ③邢… Ⅲ. ①儿童故事 - 俄罗斯 - 现代 Ⅳ. ①I512.85

中国版本图书馆CIP数据核字(2021)第059566号

猫侦探 梦魇海的海盗

著　　者	[俄罗斯]卡佳・玛图什吉娜
译　　者	陈玉增　邢淑华
责任编辑	洪　勇
责任校对	仲　敏
责任监制	方　晨
出版发行	江苏凤凰科学技术出版社
出版社地址	南京市湖南路 1 号 A 楼，邮编：210009
出版社网址	http://www.pspress.cn
印　　刷	北京博海升彩色印刷有限公司
开　　本	880 mm × 1230 mm　1/32
印　　张	6
字　　数	60 000
版　　次	2021年6月第1版
印　　次	2021年6月第1次印刷
标准书号	ISBN 978-7-5713-1857-4
定　　价	34.80元

八爪怪，喜欢数数
母鸡苦大哈，记者
猫侦探达芬奇，天才
猫头鹰乌古哈，作家
松鼠布拉卡，贼仔的俘虏
小老鼠布布沙，猫侦探的助手
椋鸟真尼，歌星
刺猬阿加西，动物城的居民
小老鼠球恰，猫侦探的助手

乌龟莅娃，猫侦探的好朋友
狗熊傻东，动物城的居民
海盗桶妈，黑玫瑰的船长
咸海白菜
小老鼠皮克，猫侦探的助手
老鼠贼仔，坏蛋
方形乌贼，全身各处都是方的
海狼信号灯哥伦布，曾经的海盗船长
宠物鼠鲁滨逊，海狼的同伴
吸管，桶妈的女儿

目 录

天才猫侦探
达芬奇

贴一张自己的照片或画一张自画像，这本书就是你的了！

姓名或昵称

兴趣爱好

第一章
可怕的想法

我们是海盗，我们是海盗，
我们不怕巨浪惊涛！
我们无所畏惧！我们是海盗。
噢！

可怕的《海盗之歌》

可怕的台风席卷动物城，树木被吹得东摇西晃，最后倒在地上。房子上的风向标折断了，一座古塔也彻底倒塌。散落在地上的帽子、雨伞，甚至还有一双皮鞋被风卷起，在空中不断盘旋。

动物城的居民们都躲在家里，躲避这可怕的灾害，甚至不敢想象未来还有什么大灾大难在等着他们。

松鼠布拉卡在厨房里来回跑，一会儿抓脑袋，一会儿抓尾巴。她那个建在大树洞里的小房子像钟摆一样在风中摇晃，锅碗瓢盆和餐巾都从架子上飞落下来。

突然，窗户被吹开了，画册、照片、笔记本满屋乱飞。

英雄猫侦探
大船在天上
装有核桃仁儿
的小枕头
非常实用
的小地毯

“这一切什么时候才能结束啊？”布拉卡一边喊叫，一边朝窗户冲去，“瞧瞧，大风把树连根拔起，不知道吹到哪里去了！要发生什么事呀？”

这时布拉卡看见一件想都不敢想的事：从乌云里飞出一艘巨型帆船！鱼儿和海星像海鸥一样围绕在周围。布拉卡有生以来没见过海盗船，但是她一眼就认出来了！帆桁上飘着破旧的海盗旗，船帮上刻着恐怖的船名——奔跑的搂草机。

布拉卡目瞪口呆地看着这一奇观，一直到大船消失在一座岩礁后面才回过神来。

“这些海盗们是台风吹过来的！太恐怖了！必须尽快告诉猫侦探达芬奇！趁他们还没来得及袭击动物城！”布拉卡决定。

她把窗户锁牢，抓起一件雨衣就跑出门外。一阵狂风吹来，差点儿把布拉卡吹了回去，但是她勇敢地扶着楼梯下到了地上。

猫侦探达芬奇的家离布拉卡的家不远。她紧紧抓着雨衣，一路狂奔，穿过小公园到达河边。然而，汹涌的河水把小桥冲垮了。

“桥都被冲垮了！”布拉卡绝望地大喊着，准备沿河边朝下一个小桥跑去。这时她看见了海盗船，它被台风抛到河里，现在已经严重损坏，在波涛中摇摆。那些海盗们大多是水手——信天翁。他们都非常肮脏，有几个还穿着奇装异服，很难分清谁是谁。他们在甲板上来回奔跑，卷起绳索，降下船帆。还有几个海盗乘一艘很大的单桅帆船向岸边驶来。

布拉卡躲到灌木丛里，她看见一个紫色的小动物在岸上等着海盗们。他挥动着一个黑色的小包儿，嘴里还喊着什么，但是他的声音淹没在大风的怒号声中。

这是魔鬼附身的歹徒、骗子，纯粹的大坏蛋——老鼠贼仔。

海盗们怎么也靠不了岸，直到一个巨浪打来，直接把他们抛在浅滩上，正好落在贼仔面前。海盗们立刻把贼仔团团围住，用匕首对准他的胸口。但是贼仔毫不畏惧，反而欣喜若狂，还不断地尖叫着。

狂风呼啸声和惊涛拍岸声不绝于耳，布拉卡什么都听不见。她壮着胆儿，爬过灌木丛，靠近他们。

“我来帮助你们！”贼仔说，“你们只有和我合作才能成功地洗劫全城！我认识城里的每一个居民。我要的回报并不多，你们只要把我带到梦魇海的猴岛上就行。到了那里，你们都会一夜暴富！”

“这个无耻之徒！竟想洗劫全城！”布拉卡再也忍不住了，从藏身处跳出来朝贼仔扑过去，“我给你点儿厉害看看！我要把一切都告诉猫侦探，看他怎么收拾你吧！嗨，你们，也快点滚出我们的城市！”

“我们怎么啦？我们什么也没干啊！我们只不过是船坏了。”海盗们放下了武器。他们一会儿看看贼仔，一会儿又看看气得跺脚大骂的布拉卡。

“抓住这个坏蛋！”贼仔突然下命令，并抓住布拉卡的尾巴，“她会破坏我们的计划，断送我们的前程，毁掉你们的发财梦想！你们想成为国王的臣子吗？”

“是的，我们都想！”海盗们**不假思索**地回答，这是他们儿时的梦想。

“抓住她！我，猴子国王命令你们，把这个俘虏押到船上去，现在都听我指挥！”贼仔大声喊道。

海盗们扑向布拉卡，紧紧地抓住她的爪子和尾巴，把她拖到船上。

“放开我！你们无权抓我！我是动物城的居民！大家会来找我的！我要求给我派飞机！”布拉卡乱蹬乱踹，大喊大叫，“我有权保持沉默！”

不假思索：假，依靠。形容说话做事敏捷，用不着思考。

他们刚刚来到甲板上，贼仔就爬进船长的驾驶舱，随便戴上一顶礼帽，用刺耳的尖叫声喊道：“海盗们！我知道自己早晚会和你们相遇，因为我向往猴岛已久。看吧，是命运把你们派到我麾下！”

“猴岛在梦魇海上！”海盗们说，“没有比那里更可怕和更危险的地方了！关于那个岛有很多传说，那里好像住着一个妖怪。梦魇海周围都是洼地，至今还没有谁能穿越。”

“这都是你们凭空想出来的！”布拉卡更加气愤，使劲挣扎，但两个海盗玩命地抓着她的爪子。“我现在就跑去把一切都告诉达芬奇，他有办法收拾你们！放开我！”

贼仔瞪了她一眼。突然一个浪头打过来，船身剧烈晃动，但是这个坏蛋好像长在船帮上一样，一点儿没动。

“海盗们，我知道怎么去猴岛！把松鼠关到底舱去，其余的都上甲板！从现在起你们都听我指挥！我是你们的船长猴王！你们是我忠实的猎手大鲨鱼！是我忠诚的海胆和乌贼！”

“那我是谁呀？”以前的船长海狼疑惑地问道。

“你还是船长，不过要等到我登上猴岛，我们大家都暴富以后。”贼仔马上应付过去。

“噢！噢！噢！”海盗们点点头。

“我对你们只有一个要求：绝对服从我的指挥，记住我的所有要求！我们可能只需要几天，也可能需要几个月才能抵达我要去的地方！我的这个计划只差那么一点点就要实现了！”贼仔甩动尾巴，把甲板敲得啪啪响。

“这不可以！”布拉卡非常愤怒，猛地踹了一个信天翁一脚。那家伙痛得跳了起来。

“你干什么呀？”另一个信天翁冲布拉卡喊道，同时愤怒地张开翅膀，要打向布拉卡，谁知竟被狂风卷起，抛到岸上去了。

布拉卡趁机推开抓住她的海盗，跳到贼仔跟前，一把把他的帽子拉到眼皮上，顺便踩住他的两只爪子。

“我踩死你！看把你得意的！我恨海盗们！不管你们想做什么，绝对不会得逞！”

布拉卡越说越来劲，一把拽下船帆，用爪子猛踩。那些水手信天翁被吓得缩成一团。

“你们都缩着干什么呢，蠢货！抓住松鼠！否则她会揭发我们的！”贼仔揪下帽子，大声咆哮。

海盗们缓过神来，把小圆木桶朝布拉卡身上推。布拉卡跳起来，灵巧地从一根帆桁跳到另一根帆桁上，最后悬挂在一根大粗绳子上。当她正准备往惊涛骇浪里跳的时候，绳子断了，她一头栽到甲板上，砸出一个窟窿，跌进了底舱。

海盗们围成一圈看着窟窿。

“干得好！”贼仔非常高兴，“自己跳进底舱里了！好好把她锁在那里！这个松鼠对我们十分有用！”

当海盗们执行他的命令时，贼仔从小包里拿出一个瓶子，又从瓶子里拿出一张纸。纸上写着以下内容：

亲爱的：

留在我们这里吧！做我们的国王吧！

管理严格的猴岛

另外，我们已经邮寄出二十五封邀请函，但是还没有收到回复！我们的地址：梦魇海中心，猴岛。等级制度森严的猴子部落特良姆——特良施卡。

“这个岛谁都想去！”贼仔嘟囔着，把纸翻过来，在背面歪歪扭扭地写了回信。

猴子们：

不要再写信了！我正乘船赶往贵岛！

国王贼仔

写完后，贼仔把信卷好放回瓶子，然后将瓶子扔到水里去。

现在国王贼仔就剩一件事了：尽快到达猴岛，别在梦魇海迷失方向。那里妖怪频出，气候异常，这已众所周知。接下来就是想办法利用那帮傻猴子了！

贼仔看见岸上有一块酷似铠甲的石头，突然警觉起来。

“海盗们！快看！”贼仔大声疾呼，“那是乌龟莎娃！他背上有达芬奇的保险柜密码！抓住他！”

第二章 世纪大盗

我，猫头鹰！一只大鸟！

老鼠见了我扭头就跑！

黎明时分，暴风雨戛然而止，如同来时骤然而至。现在风平浪静，树叶纹丝不动，谁也想不起曾经的暴风雨了。最神奇的是，谁也没发现海盗船，好像它根本不存在似的。

动物们跳过水洼，脚不沾地地奔向一处树宅。那里是著名女作家，老橡树伯爵小姐猫头鹰乌古哈的住宅。

“乌拉！大功告成了！伟大的时刻和伟大的瞬间就要来到了！”母鸡苦大哈在无线话筒里大喊，愉快地眨着两只眼睛，“今天中午十二点，乌古哈住宅周围将会聚集一群敬仰她才华的读者们！离她的新书《猫侦探达芬奇　强盗入侵》问世只剩两分钟了！新书包括什么内容呢？封面背后隐藏着什么有趣的故事呢？关于强盗入侵和坏蛋阴谋的真相都将大白于天下！这是真正的节日！”

大家都知道，新书出版曾受到荒唐行为的威胁。因为书中将揭露

坏蛋的真实面目，有个别动物非常不欢迎新书。这个坏蛋是谁？怎么到了月球？又是怎么对待天才们的？这些都是秘密！

来参加新书发布会的动物们来自社会各个阶层，其中还有外国来宾，他们虽然一句也听不懂动物的语言，但是对这样的大规模群众集会**情有独钟**。

猫头鹰的粉丝们急不可耐，有几个还想匆忙地读完上一本书《猫侦探达芬奇　遗失的藏宝图》，以了解这一事件的最新进展。

“我非常喜欢乌古哈！她有极佳的鉴赏力！”老马恰嘎赞叹道，“我是个书迷，无论什么书都读，

情有独钟：钟，集中，专注。因对某人或某事物特别喜爱而感情专注。

2019080142

只要落到我蹄子底下的！”

“我根本不读书！”蚊子茹让嗡嗡地说，“我只嗅书和吃书！”

“是啊！是啊！”狗熊傻东高声附和，“我还可以把书当擦鼻涕的手绢，够用一个礼拜呢！”

这时动物群里传来一阵欢快的声音，很多动物跳跃着往前面看，想知道那里发生了什么事。苦大哈跌倒在摄像机下面，蚊子茹让高兴地在食蚁兽的尾巴上叮了一口，而那家伙居然没有感觉到。

猫头鹰所有作品中的主角——猫侦探达芬奇露面了，他站在树宅门口的台阶上。

“朋友们，大家好！本来松鼠布拉卡要发表演讲介绍我们的女作家，但是她不知道什么原因耽搁了，因此只好由我来完成这个最重要的任务。”

“乌拉！”动物们喊道。一只小兔子穿着从兔子专卖店买来的礼服，登台给猫侦探献上一束橙色的玫瑰花。

三只老鼠围着楼梯转圈，欢快地尖叫着。他们是警鼠皮克、球恰和布布沙，既是猫侦探的首席助理，又是猫侦探最好的朋友。

猫侦探接着低声说：“我不多说！你们大家都认识我，知道我是天才！所以关于我自己就不多说了。一切尽在书里，书里说我不仅是天才，还是英雄！”

“乌拉！”大家一起喊道。小兔子又给猫侦探献了一束鲜花，这本来是给猫头鹰准备的。

猫侦探高兴地接过花束并高高举起来，大声喊道：

“现在，我们马上就要见到我们尊贵的女作家了！你们每一位都可以拿几本书留作纪念，或作为礼物赠给朋友们。书上有我的亲笔签名。因为我不仅仅是天才，还是你们的朋友！”

树宅上的时钟指针跳到十二点整，猫侦探庄重大方地打开了房门，可是那里谁也没有！紧张和寂静的气氛凝结在空中，只能听见小兔子在花坛里准备下一束花的动静。

“我们都在等待猫头鹰，可她还不露面！”苦大哈有点慌神，她站起来，想说点什么调节一下现场的气氛。她嫣然一笑，对大家说：“请诸位在读书之余读读我的报纸《母鸡真理报》！”

“我们的女作家在哪里呀？”猫侦探面带微笑，神秘地说道，“可能她和松鼠布拉卡在等我们呼唤吧！好吧，让我们一起来呼喊她们的名字。”

“乌——古——哈！布——拉——卡！”大家高喊。

这时乌古哈出来了。她头戴一顶蓝色波点大檐帽，身上披了一件玫瑰色披肩。现场鸦雀无声，她用忧郁的眼神环视

母鸡真理报

快讯！！！

世纪大盗！

灾难来临！

猫头鹰乌古哈的新书被盗！这对她的所有粉丝是一个真正的打击，我们报纸却非常高兴！只有在我们这里你们才能了解到关于寻找无价手稿的最新消息！

惊天新闻！动物城成立了世界首家骑脖子赛跑爱好者俱乐部。首次活动进行了一个小时，志愿者全部摔倒。动物们非常伤心，他们想找到哪怕一个能骑的对象。

请读本报，你们能第一时间了解新俱乐部开张的消息，以便第一批登记报名！

母鸡苦大哈

个人声明

我是英雄！我是好样的！我是善良的小伙子！

老鼠贼仔

了一下周围的观众，突然猛地拽下披肩，扔到地上。

“有什么事不对劲儿吗？”猫侦探担心地问，“是布拉卡没来吗？”

“我的杰作被偷了！”乌古哈用怀疑的目光看着这群粉丝们，“一本天才的著作被盗！太恐怖了！这让我无法忍受！我翻箱倒柜找遍了所有地方，壁橱、小匣子、浴盆，甚至连垃圾桶我都翻过了！哪里都没有！杰作被偷走了！连一个备份也没留下！”

歌手椋鸟真尼的照片印在新书的封底，他听到这个消息后“扑通”一声晕倒在黄鼠史木茨身上。还有的动物开始抽泣。小蚊子茹让咽了一下口水。

“可怕！悲剧！恐怖！”四面八方的喊声此起彼伏。

我是了不起的鸟界出版商，
无数杰作的编纂者！
我是鸟界的大咖，
高端佳作谁见谁夸！

绝顶聪明众认同！
挥金如土豪室中。
我，猫头鹰怎能不骄傲？
鸟中翘楚属我最重要！

第三章
抓捕海盗

对于每个动物来说，

这个损失多么巨大！

噢，恐怖！噢，可怕！

简直一场噩梦无涯！

（虽然没有韵律，但是说的是实话）

由于新书被盗而痛心的动物们对周围发生的事情毫无察觉。一只瘦弱的小动物因为痛苦难忍开始拆栅栏上的木板，然后又整整齐齐地放到小推车上。

猫头鹰不发牢骚了，而是对猫侦探怒目而视：

“达芬奇！你是一位天才！难道你就让我这样一直傻站在台阶上啊，既没有书，又没有荣誉，还没有钱是吗？我已经被认为是个站街伸爪子乞讨的乞丐鸟了！”

几个警鼠开始啜泣，球恰看了看猫侦探，哀求地说：“我们帮帮猫头鹰吧，看她哭成什么样子了！”

猫侦探举起爪子向大家示意，当大家都静下来之后，他说道：“是的，当然了。既然你们都这样请求，我肯定会帮助猫头鹰！我是永远都会帮助朋友们的！不必哭泣，动物们！猫头鹰，放心吧！我和我的助手们着手办这件事，这就意味着，只需猫头鹰眨眼睛的工夫，书就会回到她的翅膀下！”

乌古哈马上使劲地眨了一下眼睛，可是什么也没出现，就是说书没有出现。

“嗯，这是我一种比喻的说法，”猫侦探更正说，“我马上开始侦查。你们谁是目击者？为了帮助调查，可以把证据提供给我的助手们。”

动物们开始忙碌起来，大家都想找出证据协助调查。

动物们忙翻天，都想提供证据，为破案作贡献，谁也

密探调查表

填写表格和揭发罪行

名字，秘密编号。

喜欢小说中哪位主人公？

最不好的动物？

动物们都有什么东西被偷了？

他们可能会偷你的什么东西？

机密

你把东西藏哪里了？

机密

谁想当海盗？

画一下罪犯

你怀疑谁？

这一切都是谁的错？

谁一点错也没有？

签字　　日期

非常重要和机密的文件

没察觉街道上出现了一辆两轮滑板车。这辆车正以疯狂的速度驶向动物群，车后面扬起一团灰尘。车上载着一个筐，摇摇晃晃的，不时从筐里伸出一只绿色的爪子在地面上推着车加速前行。

滑板车刚飞进大门，就从筐里传出喊叫声，动物们吓得急忙闪到一边。

车子全速飞驰，一下子撞到树上，响起了一阵轰鸣声。筐迅速地从车上跌落下来，在草坪上翻滚。筐还在滚动着，乌龟莎娃的头就从里面伸出来了。

“快躲起来！快跑吧！”他喊叫着。

“这又是怎么了？！”猫头鹰愤怒了，“刚说要去找书，现在又躲在筐里！”

“你们不明白！”乌龟探出半个身子，马上又缩了回去。

猫侦探敏锐的双眼立刻发现莎娃身上的龟甲没了。就是那个里面藏着最贵重东西的龟甲。乌龟从来都没有脱下过龟甲。

“救命啊，谁能救我们！灾难呀！我们城里出现海盗了！是他们偷走了我的龟甲！他们还偷走了椋鸟真尼的三角钢琴，黄鼠史木茨装满背带的箱子，还偷了好多东西！也是他们偷走了猫头鹰的书！最重要的是他们把松鼠布拉卡抓去作俘虏了！海盗

们就在城里！到处都有！他们就在我们中间！”

“啊——啊——啊——”动物们大叫，把找证据的事抛到脑后，一个比一个跑得快。刺猬阿加西试图爬进筐里，让他意外的是，莎娃不让他进去。

“海盗？我没有召唤任何海盗啊！我也不需要任何海盗！”乌古哈抓着猫侦探喊道。那几个警鼠吓得躲到了猫侦探的爪子下面。黄鼠史木茨带着椋鸟真尼从猫侦探眼前跑过，钻进屋里，还“咣当”一声把门关上，把自己锁在屋里面。鸟儿们像乌云般黑压压一片飞上云端各自分飞了。只有苦大哈还对着话筒兴奋地喊着什么。

在这短短的几秒钟里，树宅周围就只剩下莎娃、猫侦探、老鼠们和乌古哈。还有一个乌古哈的忠实粉丝正试图拆下横在栅栏上的一块板子，猫头鹰认为他是想从知名作家这里随便拿点什么作纪念。

只有被踩乱的草地和一堆糖纸告诉大家，刚才这里聚集过一大批来访者。

猫侦探达芬奇跳到莎娃面前，想把他藏到自己身后。

“哪里来的海盗？布拉卡在哪里？实话实说！”

“梦魇海的海盗！”莎娃在筐里翻了个倒栽葱，“可怜的布拉卡，她被他们抓走了，而我没能帮上她！龟甲太沉，草还直绊爪子，我的思维又太慢，还突然撞在树上。等我清醒过来，想到应该爬到另一边的时候，海盗们已经拆下我的龟甲溜走了。”

“这是什么时候发生的？”猫侦探问。

乌龟把头藏到筐里，喊道：“昨天晚上下了一场可怕的暴风雨，他们把我的龟甲拆去了！我躲到石头后面，他们以为我跑了，但是我都看见了！看见他们偷走图书，拉走钢琴。天擦黑时我才敢从躲藏的地方出来。等我找到大筐，弄到滑板车已经是早晨了，这才往你们这里赶！恐怖啊！海盗们就在我们附近！正在寻找新的猎物！他们什么都偷！”

老鼠们环视着四周，吓得吱吱乱叫。球恰突然呆住不动，

张着大嘴，好像要把房门吞下去似的。

“快看，海盗！他身上穿着海魂衫，这就是海盗！”球恰用她那只玫瑰色的爪子指着一个形迹可疑的动物喊道。那家伙正聚精会神地往海魂衫里藏一根棍子。“就是他虏走了松鼠布拉卡！现在他又在偷栅栏的木板！抓住他！”

那个动物挺直身子，看了一眼猫头鹰，吓得打了一个喷嚏。他的尾巴很细，耳朵像皱皱巴巴的牛蒡叶子，身上的海魂衫大得离谱，好像是从大象那里继承来的遗产。

“站住！”眨眼之间天才猫侦探已经站在了他身旁。

“啊——啊——啊——”那个动物大喊，棍子掉下来砸到自己的一只爪子，喊叫声更大了，“嗷——嗷——嗷——”

“他是小偷！”老鼠们喊道，“他偷了棍子！是个罪犯！”

“你是谁，到这里来干什么？”猫侦探喊着问。

那个动物用一只爪子跳着，痛得紧皱眉头。他的身材很瘦，好像只吃通心粉长大似的。

“我就是我！我是宠物鼠！我在这里什么也没干！我是想造一只船！”他用非常尖细的声音吱吱地说。他想打个喷嚏，可是没打出来，就把鼻子抽得呼哧呼哧响。

“是宇宙飞船吗？”球恰问。

“是大海船！”动物悲戚戚地说，捡起棍子，贴在身上，又抽了一下鼻子。

“别忽悠我们，这里根本就没有海！”

“嗯，我先造一艘船，然后再去找海。而后我……”

“抓住他！”乌古哈挥动着翅膀朝他跑过去。

老鼠们急忙闪到一边。

那个小动物瞪起眼睛，使劲地喊着：“这又是谁呀？我谁也没召唤啊！吓死我了！妈呀！”说着把棍子朝猫头鹰扔过去。“哪里有水呀？我需要很多水！要大量的水！”

猫头鹰刚转过身，棍子就飞了过来，正好打在莎娃的头上。小动物抓起海魂衫，绝望地打着喷嚏，抽着鼻子跑远了。

“站住！”猫侦探喊道，可是乌古哈一把抓住了他。

“你到哪里去？开始说给我找到书，现在又去追宠物鼠！强盗！”

“放开我们的侦探！”老鼠们冲了上去，“他不是强盗！他是帅哥！”

猫侦探从猫头鹰翅膀里挣脱出来，接着就朝那个小动物扑过去。那家伙抓起滑板车就跳了上去，然后举起爪子使劲地挥动着，好像述说着什么。莎娃为此非常气恼。

“乌拉！追呀！抓他！”老鼠们尖叫着跳过花坛。

苦大哈从自己助手那里夺过摄像机，连蹦带跳地在他们后面飞奔。

猫头鹰原地跳起来跑回家去，往嘴唇上补了点儿口红后也跟在他们后面追赶起来。

动物城出现海盗，才几分钟工夫，所有的电视台和无线电台都只播放关于海盗的消息，还有著名的《母鸡真理报》。让我们来看看它是怎么报道的！

母鸡真理报

快讯！！！

给感兴趣读者的建议

为了防止海盗进入你们家里，要准备鞋油、煤油、胶水、橡皮泥和最黏的黏土各一公斤，把这些东西都装到罐子里搅和好，然后把你家里里外外都涂抹上。这样一个海盗也进不来了。

想知道你们朋友中有没有海盗，需要夜里在他窗户底下大声喊："赶快躲开，全体上甲板！船要沉了！"如果你的朋友惊恐万分地跳到你头上，说明他是海盗。

为了找到海盗，需要造一艘大船，装满黄金和宝石出海，海盗立刻就会出现。你们可以在自己的船附近或直接在船上找到他们。

要想确认是不是海盗，你们看一看周围，如果围着你的是一群可怕的、毛发稀少的、啥都不懂的家伙，说明他们都是海盗。海盗只和海盗交谈。快做结论吧！

超级记者和报界明星

母鸡苦大哈

第四章　信件

如在小说电影中，
我必逃逸无影踪！
如在电影小说中，
你找我绝非轻松！

布拉卡醒过来发现自己身处一个存放水桶和扫帚的黑暗储藏室里。“我的脑袋出了毛病！”松鼠想，同时摸到两个耳朵中间有一个大包。

“这是跳起时撞的！我再这么蹦两次就变成犀牛了。”

布拉卡挠了几下头上的大包站起身来。她突然十分生气，抓起水桶就开始砸门。

“放我出去！立刻！我要把所有的事情都告诉猫侦探达芬奇！他会救我的！老鼠们和那个浑身是刺的刺猬都会来救我！”

布拉卡声嘶力竭地大喊，但是谁也没听见。可怜的松鼠孤孤单单地待在黑暗中，她蹲在那里伤心地哭起来。

这时贼仔又给海盗们下了一道命令，他们就一个接一个地上岸去了。

布拉卡在黑暗中没待多长时间，很快就来了两个海盗。他们费了好大劲才把她塞进了一个小橱柜里，这个橱柜是贼仔从黄鼠史木茨那里偷来的。史木茨的柜子是放吊带用的，所以很小很挤。柜子的小门用一个大门闩别上了，这是贼仔在愤怒的布拉卡眼皮底下亲手锁上的。

“你要敢嗑洞，我就把你关到另外一个柜子里去！”贼仔喊道，“哎，水手们！把柜子挪到靠近其他东西的地方！我找阿猫报仇雪恨的时候到了！”

海盗们把柜子从一个地方拖到另一个地方，折腾了好长时间，把布拉卡的脑袋都搞晕了。

“救救我！帮帮我！我不想坐在柜子里，不想坐在一堆吊带中间！我要求见我的律师！我要求谈判！我要一口袋核桃！”松鼠就这样哀号着，一直喊到口干舌燥。

柜子终于放下了，可是布拉卡不知道这是什么地方，也可能是底舱，也可能是绑到桅杆上了。但是有一点她绝对清楚——橱柜没有卸到陆地上，因为她感到还在摇晃。

水手们嘎嘎叫起来，布拉卡清楚地听到了扇动翅膀的声音，海盗们的声音渐渐平息了下来。

布拉卡竖起耳朵，她听到水浪拍打的声音近在咫尺。

“唉！有谁在吗？不要把我一个留在这里！我害怕！”

这时布拉卡听到用力敲门的声音。

“给我老实点！”贼仔一只爪子指着喊，另外一只爪子刚刚砸痛了，“如果你再闹腾，我就不给你吃的东西！”

布拉卡突然想出个主意来，她用爪子一边敲门一边喊：“我饿了，想吃东西！如果你现在不给我拿吃的来，我就嗑橱柜，直到把它嗑破了，然后我就咬你！”

“哈哈哈！”坏蛋回应，“你怎么想的？以为我只有一个橱柜吗？这样的橱柜我有上千个！我当然会给你拿吃的，不是因为怕你咬我，而是怕你瘦得像一条蛇一样，那样的话你对我还有什么用处呢？”

布拉卡听到贼仔在拉开橱柜的门闩。他一

打开柜门，布拉卡就跳起来，把一捆吊带抛向贼仔，然后想马上跳出去。贼仔吓了一跳，急忙把装满核桃的食盆朝布拉卡砸过去，又把柜门“砰”的一声关上了。松鼠未能如愿。

母鸡真理报

快讯！！！

极为残暴的海盗们劫持了松鼠布拉卡！谁能救出可怜的被俘者？谁去完成这一英勇的壮举呢？

杜利地区发现了一个有四十四条腿的动物。近看只有四十条腿是它自己的，另外那四条是桌子腿，但是被四十四条腿的家伙扔到垃圾堆里了。后来从垃圾场回来的路上发现了个三个轮子一百四十五条腿的动物。但是它很快就逃走了，本报记者没来得及看清楚它的腿。

母鸡苦大哈

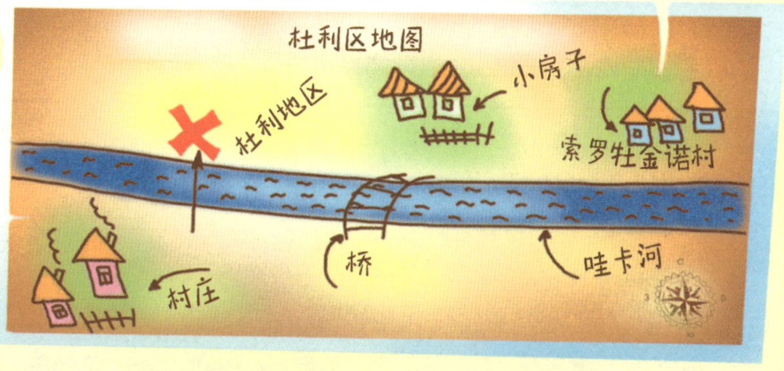

第五章
真正的追捕

我随时随地打喷嚏，
对着动物，对着电线，
对着奶牛，对着浣熊，
对着你们更变本加厉！

“阿嚏！阿嚏！”周围打喷嚏的声音不绝于耳。滑板车载着不明动物已经驶出大门，现在正从斜坡上穿过灌木丛朝河边狂奔。猫侦探紧随其后，声嘶力竭地喊道：

“快停车！我要问你！你是谁？”

“阿嚏！”不明动物倔强地打着喷嚏回答他。

“站住，我在跟你说话呢！”

“我停不下来！这个滑板车没有刹车！什么都没有！我要撞到礁石上了！”

说着小车冲上断崖，接着就坠了下去。

“阿嚏——嚏——嚏——”一意孤行的动物喊叫着在空中翻滚。

随后传来了撕心裂肺的号叫声，小车坠入水中，在水面上摇晃。

“可怕！事故！恐怖！”老鼠们聚集在断崖旁，“他会沉下去的！要淹死的！”

“最重要的是他车上没有我的书！”猫头鹰懊恼地说，“栅栏没什么文学价值。”

猫侦探**义无反顾**地跳进水里，小车就在他身旁漂浮着。湿淋淋的小动物奋力爬上来，手里还攥着从水里捞上来的那

义无反顾：反顾，向后看。从道义上只有勇往直前，不能犹豫回顾。

根棍子，然后迅速地用棍子当桨划离了猫侦探。

达芬奇气呼呼地游在他后面。

“快看！那又是什么庞然大物啊？”球恰尖叫着。

对岸有一艘倾斜的大船在波浪中摇晃。它破损得非常严重，但是还奇迹般地浮在水面上。像其他遇险的船一样，船帆也不再随风飘扬，而像一块灰色的破抹布孤悬空中。船舷上露出一个窟窿，非常像老鼠辛辛苦苦凿出的洞。桅杆伸向不同方向。别看大船破损得不成样子，但还是能看出它曾有过一位快乐的船主，把船刷成五颜六色。虽然颜色已经严重脱落，但还能分辨出甲板是橙黄色的，船尾是红色的，船头是浅蓝色的。

“真是这样的呀！”布布沙嘟囔一句。

这时滑板车已经靠近船舷，动物抓着锚链，灵巧地爬了上去。

“快到对岸去！”老鼠们尖叫着朝桥那边跑过去。猫头鹰也跟着他们跑，忘了她是可以飞过河的。

在嘎吱作响的舷梯旁站着一个奇怪的灰色动物，他衣着鲜艳，好像要去参加狂欢节一样：红色的大檐帽，帽子边沿艳丽的颜色像个花坛，穿着毛边的破黄色坎肩和绿色裤子。帽子底下露出一个狼鼻子。

狼想用长画笔给舷梯涂上颜色，但是效果不好，颜色涂不均匀，还直往水里滴。

“又是一个海盗！”乌古哈猜测道，于是展开翅膀向动物扑过去。

狼抓着帽子喊道：“我不是海盗，我是最值得信赖的航海家！我把一切都讲给你们听！”

这时猫侦探达芬奇也用宠物鼠的方法来到了甲板上。他差点掉进那个窟窿里。猫侦探抖了抖身上的皮毛，环视了一下周围，谁也没看见。这里只有招展的船帆，嘎吱作响的桅杆和不停摇晃的木桶。

猫侦探微笑着小心翼翼地往前迈了两步，敲了敲木桶。

“唉，出来吧，我追上你了！”

木桶里没动静，突然传出喷嚏声：“阿嚏！我没在这里！哪里都没有我！那个紫色的老鼠是你这个凶恶的家伙派来的吧？你快走远点，否则我派海怪收拾你，阿嚏！派两个！阿嚏！阿嚏！”

猫侦探咳嗽了一声，很有礼貌地说：“我是天才猫侦探达芬奇！我从来没派什么紫色的老鼠！我在侦查盗书案件，同时也侦查松鼠被劫持事件。老实告诉我，这是谁的船？海盗们都在哪里？”

从木桶里伸出一张颤抖的小窄脸，哽咽着说：“我什么都不知道！我是宠物鼠，我是好动物，我想回到海里。海盗们乘另外一条船走了！这条船坏了，我在寻找板子，想把船修补一下。我一直**兢兢业业**，我很棒！是你把我吓

兢兢业业：形容小心谨慎，认真负责。

坏了，你不好，你是海乌贼！阿嚏！”

说完后他又躲进木桶里去了。

忽然传来一阵脚步声，乌古哈吃力地爬上大船的舷梯，她拽住狼的后脖领子。狼还微笑着，好像乌古哈不是像拽口袋一样地拽着他，而是给他放了一个靠垫。老鼠们在他们后面跟着跑。

“嘿，你这个海盗！我的书在哪里？”猫头鹰推着狼说。

“阿嚏！”木桶抖动了一下。

“嗨，快点重复一遍你刚才所说的一切！”乌古哈摇晃着狼。

“我是海狼！”狼喊道，“木桶里是我的同事，宠物鼠鲁滨逊！”

从桶里传出声音：“是的！我是叫鲁滨逊！阿嚏！他的确是海狼，是他第一个发现梦魇海的！他很棒！阿嚏！大家都知道信号灯哥伦布这个伟大的发现！”

“真的吗？”猫侦探惊奇地问。

“是真的！我就是信号灯哥伦布！”海狼确认，还骄傲地整理一下帽子，“我是著名航海家！我有船和水手。”

“帆船坏了不要紧，宠物鼠是我的水手，而且陆地上的鹦鹉库伦也在我这里待过。但是他很粗鲁地恐吓我们，学海盗的喊声。最后这个坏蛋开始学我的声音下达命令，我只好把它扔到舷梯外面去了。要知道，我是一个正义的船长，不允许有谁破坏航海的老规矩！”

“阿嚏！阿嚏！阿嚏！”鲁滨逊确认。

照相机闪光灯闪了又闪，母鸡苦大哈爬上帆船舷梯，给海狼、宠物鼠、猫头鹰和自己拍了好多照片，但是谁也没注意到她。

“这也太恐怖了！怎么？他淹死了？”球恰吓坏了。

“怎么是淹死了，是飞走了！然后还放肆无礼地在甲板上方转悠，喊‘我是海上母牛’，还威胁大家，说他藏在斧头上面，也就是罗盘下面。”海狼迅速地调整了一下脑袋上的花坛信号灯，又严肃地补充说，“后来这个**忘恩负义**的鸟类朋友又把自己的窝挂在桅杆上，从那里往下扔水草。他现在还坐在那里等死呢。”

忘恩负义：忘记别人对自己的恩情，做出对不起别人的事。

大家都抬头往上看，桅杆上真有一个很大的窝，还有东西在那里动弹着。

猫侦探达芬奇皱着眉头朝信号灯哥伦布走过去，太近了，不知不觉一半身子已经进到了他的帽子底下。

“我觉得你隐瞒了什么重要的事情。海盗在哪里？是谁弄坏了你的船？如果认为自己是航海家的话，你在这条离海洋几千里之外的小河里到底干什么？还有更重要的，布拉卡在哪里？”

达芬奇十分严厉地看着信号灯哥伦布，老鼠们都兴高采烈地尖叫了起来——天才侦探能明辨最复杂和最危险的案情。

母鸡真理报

快讯！！！

请大家注意！所有、所有、所有喜欢养花，又不想照料它们的都注意了！

无需侍弄的移动式自动浇水花坛已经问世。只要读我们的报纸，你就会知道在什么地方能找到它！

我们的计划中还会有自动悠荡的秋千、自动熨烫的熨斗和冬季自动食品储备器。

母鸡苦大哈

猫侦探达芬奇家庭作业

画海里妖怪

第六章
一切都怪他！

暴风雨，九级浪滔天，
老兄，我都司空见惯！
我在天空中展翅翱翔！
连我自己都不敢想象！

勇敢的航海家

信号灯哥伦布用爪子捂着脸，在甲板上踱来踱去，伤心地叹了一口气，开始讲述。

“这段可怕的故事发生在几天前。我和著名的航海家宠物鼠鲁滨逊考察梦魇海，驾驶着自己的帆船‘奔跑的搂

草机’在海上航行。突然，我就不说原因了，遭到了海盗袭击。”

“海盗劫持了我们的帆船。我们没有任何反抗就成了人家的俘虏。如果你被抓住了，那就坐在那里不必颤抖。这是海洋上的老规矩。”

“胡说八道！”猫头鹰说道。

“我们都是优秀海员，是最聪明的水手，我们永远按照规矩办事！”鲁滨逊从木桶里向外看了一眼，补充说道。

信号灯哥伦布突然跳起来，跑到木桶前面，使出全身力气用爪子猛敲：“是我永远遵守老规矩，可是你给破坏了！就是因为你，我们现在才不知道身处何地，也不明白为什么成了这个样子！”

宠物鼠拼命往里面躲，一边尖声叫喊：“我不是故意

的！我糊涂了！船把我晃晕了，所以就完蛋了，吓死了！阿嚏！”

“快别辩白了吧！”猫头鹰呵斥他们，“海洋，帆船，咕嘟咕嘟炸油饼……听够了！我问你们一个具体问题：我的书在哪里？”

海狼高傲地从帽檐底下往外看了一眼说：“书的事我们一点儿也不知道！我只读船舶杂志和航海日志。宠物鼠只认识几个字母，就那么几个还不是日常用的，还要对着日志打喷嚏！我不知道对他说了多少遍：别看船尾，不要看，那是不祥预兆。他答应了，可还是照看不误！”

“我从来没听说过这种事！”达芬奇惊奇地说道。

“你们还从来没去过梦魇海呢，可我们去过！那是所有海里最可怕的海！那里各种妖怪出没无常，那里的洋流也极其怪异，一日之间多次变来变去。”

“当他看了船尾以后，发生了什么事吗？”猫头鹰不满地呵斥着。

海狼靠着桅杆，痛苦地抬起爪子，喊道：“不测的事就是这样发生的！他刚看了一眼，海盗就把我们抓住了。之后，他又往那里看了一眼，海水狂飙，恐怖的巨浪滔天，可怕的疾风骇然卷起我们的帆船冲向云端。我们都跑到底舱，吓得魂飞魄散。直到第二天，我们的帆船轰然一下坠到了你们这里的河里。但是，这还不算完！海盗们气急败坏！我们想这下我们死到临头了。这时冒出一个叫什么贼仔的家伙，他表

梦魇海里的妖怪

蟾蜍

海刺猬

长腿螃蟹

可怕的鳄鱼

多脚怪物

盒子里的一种怪物

游水公猪

画一下你的妖怪

野蛮的蝌蚪

示愿意把自己的一艘大船给海盗们，还欺骗他们，要他们帮助他去梦魇海的猴岛。他想欺骗那些善良的猴子，并当他们的国王，让海盗们当宫廷打手。海盗们欣然接受了他的建议，到你们的城里偷盗，按照老规矩，抓了只松鼠后就走了。”

“他们偷走了我们的航海图、仪器和食品！然后把我们和一艘破船扔到了这里。”

“贼仔从哪里搞到一艘大船的呢？”达芬奇非常惊讶。

“他说他用牙齿拖出来的，不知道是真是假，反正他是这样说的。我们现在怎么处理这条破船呢？怎么活下去？现在怎么办呀？这件事就像这样发生了，不知道因为谁，在什么时候，在什么地方，不知道什么原因，你也不明白，他就看了船尾！”

“船尾是指哪个地方啊？”球恰问。

“船尾，就是帆船的尾部。任何时候都不要看船尾！不论你多么想看，也不能看，一定！”

球恰特别想回头看看船尾，急得**抓耳挠腮**，最终还是忍住没看。

“他们开船走了，现在谁也找不到他们！”海狼悲哀地说。

鲁滨逊补充说：“还有猴子们要为他服务！”

“怎么又有猴子的事啦？！”猫头鹰生气地说

抓耳挠腮：形容焦急而又没有办法的样子。

了一句。

鲁滨逊跳起来，又是号叫又是揉搓爪子，大家都看着他。

“这是一群神奇的猴子！善良的猴子！温柔的猴子！”他尖声尖气地说，“谁都想去他们那个岛！那里常年温暖！那里海滩上有金子般的沙子！那里钻石成山！那里宝石遍地！各种含有花草香味的泉水从地底下直接喷流到地面，鲜花遍野绽放！”

信号灯哥伦布不知道为什么突然喊叫起来：“你怎么这么浅薄无知？能不能闭上你的嘴？”

“不！我的牙齿又大又弯！我的嘴什么时候都闭不上！我有生理缺陷！”鲁滨逊高兴地给大家展示了他的两颗大牙，然后又兴奋地补充道，“梦魇海里还有巨大的，不，超巨大的神奇……”

信号灯哥伦布急忙捂住他的嘴，接着说：“有一条巨

大的神鱼！”

“呸——呸！”鲁滨逊说，但是谁也不明白他指的是什么。

“这就是贼仔为什么决定要做海盗的原因吧！”达芬奇猜到了，“朋友们，现在我们面前的任务更为复杂了：我们不仅要解救松鼠布拉卡，还要把善良的猴子们从贼仔手中解放出来！”

“先把书给我找回来！”猫头鹰插话说，“没有必要救出布拉卡！她被劫持不是因为愚蠢，而是由于痴呆。她既没钱，又没名气，有谁需要她呀？”

“我们需要她！”老鼠们尖声叫喊。

“好吧，朋友们，我们现在需要赶快上路！以前你们是警鼠，现在你们是水手。我们马上修船，然后乘船去追赶贼仔！我们要战胜他，解救布拉卡，拿回所有被盗的东西，再好好教育贼仔，让他改邪归正。”

“乌拉！”大家一起欢呼。鲁滨逊也从木桶里出来了。

老鼠们开始跳舞，猫头鹰也咕咕地叫起来。信号灯哥伦布高高地举起爪子说道：“我郑重地把我的船长权力移交给著名天才——猫侦探达芬奇！他将掌管整艘大船！我主持

正义！这样才公平！”

这时，从旧木桶里、底舱、舱门……四面八方，甚至缠绕在一起的船帆上都出现了白色的鸟儿。他们都目不转睛地盯着达芬奇。

“嗨！”猫头鹰喊，“这又是谁呀？这都是从哪里来的？都滚开！嘘！嘘！一群傻帽儿海鸥！”

“这不是海鸥！这是我的水手——信天翁！”信号灯哥伦布喊道，“这是我的团队！他们都回来了！没有他们我就像没爪子一样，他们就是我的爪子！现在我们万事俱备了！嘿，信天翁们，这是你们的新船长——猫侦探达芬奇！”

信天翁们快速跑到猫侦探跟前，开始兴奋地端详他。有一个信天翁还拿出了望远镜。

“朋友们，你们好！”猫侦探说，“我保证，只要救出松鼠，我就把大船的管理权交还给信号灯哥伦布！”

海狼点头，可是又突然忧郁地说：“我想预先提醒大家一声，免得以后出事。任何时候，任何情况下都别看船尾！”

“永远不看！永远不看！”信天翁们喊道，全都眯起了眼睛。

母鸡真理报

快讯！！！

这是一次非常愚蠢的行动！

如果有谁以为海盗的生活非常优越的话，我们报纸告诉你，海盗无所事事，游手好闲，体弱多病，还经常寻衅打架，外表丑陋不堪。

他们一天到晚都被摇晃颠簸得晕头转向，船上既没有收音机，又没有电视，他们也从来不玩电脑游戏。

在行动让他们悲观失望的时候，海盗们会埋藏自己的宝物（并做好标记），他们把这个叫“埋藏的宝物”。他们也画地图，但是按他们画的地图哪里也找不到，因为海盗们愚蠢透顶，一点地理常识都没有。

由于生活枯燥无味，海盗们通常都十分凶狠，一言不合就拳脚相加。

只有读我们的报纸，你们才能获得各种各样的情报和信息，听到各方面的不同声音！

母鸡苦大哈

“我们也不看！”老鼠们也高声表态。

无论如何，他们目前对自己的保证都深信不疑，甚至没有想过他们很快就食言。

这时（虽然有可能是无意的巧合）刮起了刺骨的寒风，有谁在岸上讨厌地哀号起来。

猫侦探和他的朋友们立即开始工作。不到三个小时，大家就同心协力地把船修好了。船弦上是引人注目的新名字——无畏号。

猫侦探站在船头注视远方，按他的想法，天才的船长们都应该有这个范儿，他高兴地喊道：

“好了，我的朋友们，起航！但是，航行之前，我们应该随身带一些东西。我暂时还不知道这些东西有什么用途，可是我天才的智慧提醒我，我们会用得上。”

“应该带上肥皂、彩色粉笔、滑板车的两个车轮和紫色颜料。”

“这些东西我们都放到行军包里，以备不时之需。我们还需要航海服装，还要从动物城里选择一个可靠的团队，我觉得很多动物都想参加我们的探险队伍。”

“乌拉！”老鼠们又欢呼起来。

“我们什么时候回来呀？”球恰皱着眉头担心地问道。

“在我生日那天回来！”猫侦探回答道。

大家都非常高兴，谁也没想到要问一问猫侦探达芬奇的生日是什么时候。

梦魇海变幻莫测的波浪正在前方等着这些勇敢的航海者。后面将发生什么谁也不知道，因为信号灯哥伦布告诫他们别看船尾。

无畏号

无畏号帆船

航海日志簿

雄壮威武的英雄团队

船长 （主角）	猫侦探达芬奇 超级猫侦探， 英姿勃勃的大英雄	
水手1 （棒小伙）	老鼠皮克， 船长右臂	
水手2 （飒爽英姿）	老鼠球恰， 船长左臂	
水手3 （棒小伙）	老鼠布布沙， 船长跟班	
乘客1 （不友善）	猫头鹰乌古哈， 交际中笑容可掬， 日常生活中很可怕	
乘客2	乌龟莎娃， 住在筐里	
随船记者	母鸡苦大哈， 知道自己该做的事和 不该知道的事	

水手长 （谁也不知道这是什么意思，但是听起来非常有说服力）	椋鸟真尼，金嘴，银嗓子获得者	
船上厨师 （炊事员） 	黄鼠史木茨，什么东西只要落到他爪子里，不是卖了，就是煮了	
舵手 	信号灯哥伦布 海狼，值得信赖	
领航员 	宠物鼠鲁滨逊	
望远镜 	鹦鹉库伦， 外号沙囊	
海员 	信天翁	
给你自己想一个在船上的职务	写进日志簿里	画一下自己

因为害怕染上航海疾病，狗熊傻东、刺猬阿加西、花猫穆拉扎福卡和阿娜孔达没能进入团队。

第七章
咸津津的海风吹拂脸颊

每只老鼠，

都爱嗑嗑嗑。

这事老鼠谁都不想告诉。

猫侦探的帆船从狭窄的河道驶出，奔向梦魔海。团队**齐心协力**，几乎所有的朋友们都愿意帮助猫侦探救出松鼠。

老鼠们欣喜若狂，一个个像皮球一样在甲板上滚来滚去。只有信天翁不知道为什么躲在底舱，说什么都不想出来。

远处的海面变成了白色，帆船越驶近，猫侦探越感到惊奇。虽然没看见蒸气，可是海水像开水一样沸腾，好像有谁在给海水加温。

“这又是什么奇迹？！”球恰尖声说道。

真尼当即明白这是帆船遇到了危险，他想跳到史木茨的肩膀上。史木茨了解自己朋友的习惯，急忙藏到了猫头鹰身后，真尼只好改变主意。信号灯哥伦布在原地抽搐，往后翻着爪子，发出莫名其妙的嚎叫。

猫侦探摇晃着海狼的肩膀说：“现在还不是慌乱的时

齐心协力：思想认识一致，共同努力。

梦魇海航行禁令

（谁不遵守，谁就会从船舷上栽下去！）

1. 不许看船尾！！！

2. 不许怀疑和瞎想！

3. 不许说出自己的怀疑和猜想！！

4. 不许动信号灯哥伦布的帽子！！！

5. 不许破坏帆船！任何时候都不允许！！！

6. 不许和鹦鹉说话！！！

7. ______ ______

______

______

写出你自己的禁忌事项！

信号灯哥伦布

100. 不许和猫头鹰争论！

候！快说这是什么东西！”

“这是个通心粉状的狭窄盆地。海面全都被这沸腾的海水包围。船只要进入这个地带就立刻沉入海底，无一艘船能幸免！”信号灯哥伦布说，“没有人能通过它！只有贼仔能过去，要知道他的船不是普通轮船，而是一艘万能船！”

“这是什么意思？”猫头鹰问。

“哦，这是个大秘密，我谁都不会告诉！不祥的预兆！”

海狼把帽子往下拉了一下，这样他整个身子好像都藏到帽子里了。

通心粉状的狭窄盆地越来越近了。

“怎么办？怎么办？我们会沉下去呀！”从木桶里传出声音。

帆船开始摇摆。一捆捆的海藻从桅杆上飞下来，躲在窝里的鹦鹉差点儿被甩出去。沸腾的水珠溅上船舷。

猫侦探达芬奇下达命令：“老鼠们！把行军包拿过来！到了应该从里面拿出第一件东西的时候了！”

老鼠们迅速把包拖来。达芬奇拿出肥皂，扔到海里。海水沸腾得更厉害了，微小的肥皂泡升上天空。

“朋友们，现在降下船帆！”猫侦探命令道。

动物们一边沿着绳索往上爬，一边躲闪鹦鹉抛下的水藻。

船头下面的海水沸腾不止，水花四溅，化成五颜六色的彩虹，无数个气泡飞上高空。球恰张着大嘴欣赏从她眼前闪过的景象，似乎每个肥皂泡里都坐着一只小老鼠。

猫侦探吩咐船员们把所有船帆的尾端互相连接在一起，这样就在某种程度上形成了几个口袋。

“现在需要把船帆牢牢地绑在船头和桅杆上！”

什么也不明白的史木茨开始执行命令。信天翁们从底舱往外看了看，又躲了回去。

愁眉苦脸的信号灯哥伦布监视着史木茨的一举一动，忽然笑逐颜开。他抓起一个船

帆，仔细观察上面打的结，然后不知道嘟囔着什么，带着船帆躲了起来。

很快船头和桅杆上都挂好了船帆，看着很像挂了几张空的鱼网。鲁滨逊眯缝着眼睛把一个船帆挂到了船的尾部。

“要发生什么事了吗？”猫头鹰忍不住问道。

“等等看吧！”猫侦探说。

这时奇迹出现了：肥皂泡充满了船帆，而船帆像一个巨大的气球悬挂在帆船上面，帆船轻轻地倾斜着升高到水面之上。

“乌拉！”动物们在甲板上跳起来高呼。

到处都是气泡！五颜六色的巨大气泡！气泡像蜜蜂一样环绕着船头和船身旋转。老鼠们追赶着，还用爪子抓着吃。真尼幸福地爬到桅杆上，挥舞着翅膀唱起歌来。苦大哈的相机咔嚓咔嚓不停地响。乌龟莎娃也从舱底伸出脖子往外看，脑袋上顶着个盆子慢慢地环顾着周围。

这是一幅难忘的景象！帆船飞离了水面，远处的陆地依稀可见，甚至看见了整个地球。最后，由于“无畏号”离开水面太高，气泡一个接一个地破灭了，帆船就这样飞越通心

球恰看着船尾，
她发现了什么呢？

找出两个相同的表情!
找出十个红色的气泡!
找出一只不认识
的动物!
找出球恰的表情!

粉状的狭窄盆地，缓缓地降落到另一侧的水面上。

“乌拉！”动物们欢呼着，开始用爪子摇晃自己的船长，“天才！”

然后，动物们开始解开船帆上的绳结，又把它们重新固定在桅杆上。

可是，大家发现少了一个船帆。猫头鹰认为是史木茨没有绑牢在船舷上，所以船帆和气泡一起飞走了。

“算了，已经这样了！”乌古哈说，“为了能把书找到，我可以不惜一切代价！”她拿出了自己最华丽的一条裙子，要用它缝一个新的船帆。说实在的，裙子有点太小，可这总

比没有强多了。

球恰一直沉浸在对气泡的回忆中不能自拔。她手舞足蹈、旋转跳跃，目光怎么也离不开刚通过的通心粉状的狭窄盆地，那里真是一个既恐怖又美丽的地方。

小老鼠球恰都没发现自己走到了船尾，她开始朝通心粉状的狭窄盆地挥舞手帕。一只这么小的玫瑰色老鼠站在偌大的木船上！还能有比这更浪漫的事吗？

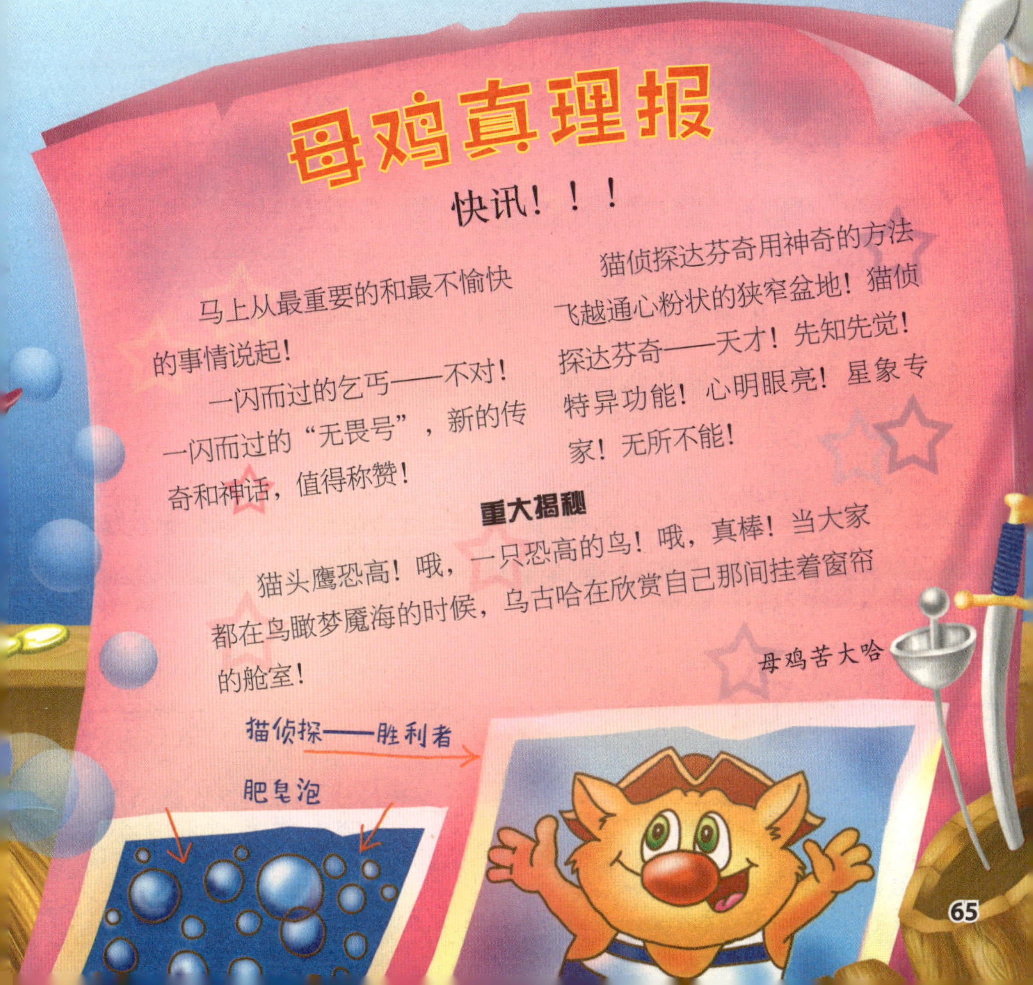
母鸡真理报

快讯！！！

马上从最重要的和最不愉快的事情说起！

一闪而过的乞丐——不对！一闪而过的“无畏号”，新的传奇和神话，值得称赞！

猫侦探达芬奇用神奇的方法飞越通心粉状的狭窄盆地！猫侦探达芬奇——天才！先知先觉！特异功能！心明眼亮！星象专家！无所不能！

重大揭秘

猫头鹰恐高！哦，一只恐高的鸟！哦，真棒！当大家都在鸟瞰梦魇海的时候，乌古哈在欣赏自己那间挂着窗帘的舱室！

母鸡苦大哈

第八章
球恰，最好闭嘴！

不是所有的预兆都会成真，
也不是成真的事都有预兆！

动物们都围坐在饭厅的大圆桌旁，用盛宴来庆祝他们的首次胜利。大船在梦魇海上扬帆疾驶，寻找猴岛。谁也没料到，下一个危险已经近在他们的眼前。

只有信号灯哥伦布还在甲板上踱来踱去，他摘下帽子，仔细聆听着。“你什么都没听到吗？没听到吗？”他问鲁滨逊。

鲁滨逊高兴地喊道：“我什么都听到了！我吃到了气泡！我好高兴！我是好样的！你没吃到气泡！你不高兴！你是海上讨厌鬼！”

信号灯哥伦布很恼火，他挥动着爪子说：“不是！不是那么回事！你仔细听听，我觉得有谁在那边！”

海狼踮着脚向船尾走去，鲁滨逊吓哆嗦了。

“是不是通心粉妖怪上船了？”

球恰突然跳到海狼脚下。她在信号灯哥伦布周围飞跑，一头撞到宠物鼠身上，“扑通”一声倒在甲板上，闭上了眼睛。

“哎，小老鼠！你睡着了？”鲁滨逊问道。

“她晕过去了。”海狼很确定地说，“哎，我说宠物鼠，快把她抱起来吧！必须把这个讨厌的老鼠藏起来，我觉得她是看到什么了。”

“往哪里藏她呀？我们就剩下一个空桶了，我还要留给自己用呢！”

“往哪里藏？我们就把她扔到船尾！那里是最安全的地方。来，快点，不然一会儿有动物过来，一切就都泡汤了！”

可是宠物鼠刚一动球恰，球恰就跳了起来，大声尖叫：“我看见了！那里有个东西！那里！我看见了！”

“你往船尾那边看了？哎呀，恐怖啊！”

海狼打了个嗝，把爪子朝球恰伸过去，而

宠物鼠的爪子都吓软了。

球恰跳到一边，急忙点头说："我要马上把这一切都告诉猫侦探！我看了船尾！我看见了那个东西！它正朝我们的帆船开过来……"

"啊！"海狼吼叫着，立刻堵上球恰的嘴，"别出声！无论对谁都不能说！因为……"

这时传来了大声说话的声音和笑声。有谁从公共舱里出来往上面走。

海狼打了个嗝，把爪子藏到背后，嘴里像爆豆似的说个不停："对谁也不能说你看见了什么，否则最不祥的预兆就会应验，船就会沉下去！我是老水手，我知道我说的是什么。任何时候，对任何人都不能说你看见了什么！"

球恰的泪珠在眼眶里打转，尾巴颤抖不止，甚至呜呜作响。"可是那里有什么东西已经挂在我们船上了！"

"当然，我们的船肯定会黏上很多东西，这没什么特别的！好的大船就像好的水手一样，总会黏上一些东西，什么小贝壳呀，什么水藻啊，有时还有讨厌的老鼠！"

"可是，那里……我感觉那不是水藻！我认为那是一条小船！"

"安静！"海狼喊道，"我告诉你一个古老的海洋秘密：那里什么也没有，只是寻常的海上幻象！但是，你只要对谁说了你看见了什么，这个幻象就立刻变成实在的物质，变成真的东西！"

“真的吗？那好吧！我对谁也不说就是啦！可是，我现在干什么呀？！我非常害怕！全身都在发抖！”

“回你自己的舱里去，钻进被窝，我们靠岸之前别再爬出来。”鲁滨逊客气地建议道，“我就经常这样做，只有这样你才能使我们免遭不幸。”

球恰用爪子抓住尾巴就跑回船舱里去了，半路还撞到了真尼。球恰玫瑰色的小尾巴刚刚消失在门后，猫头鹰和真尼就到船头去了。

信号灯哥伦布握着拳头扑到鲁滨逊面前，像蛇一样吱吱尖叫道：“这都怪你！你没有盯住她！如果她一不小心说漏嘴怎么办？下去看着她！别让大家起疑心！”

鲁滨逊吓坏了，急忙跟在球恰后面下去了。

第九章 危险之岛

“我看见海岸了！我最棒！”

宠物鼠鲁滨逊开始在身边的动物们中间传播，一个都不放过。

这时候猫侦探达芬奇拿起双筒望远镜，真尼马上开唱。

离海岛越来越近了，岛屿周围是一片平静的淡蓝色海面，已经可以清晰地看见岛上绿色的山峦。

岸边有很多肥胖的海鸥在飞翔。看见帆船后，它们互相追赶着大声鸣叫，兴奋地朝帆船飞过来。

乌古哈往上边看了一眼，吓得不知所措，瞪着大眼睛嘟囔着：“这是什么东西？土著居民吗？”她仔细看了看，补充说道：“当然了，这不是猫头鹰，如果是该多好，可以教它们读我的书，就又多了不少读者。”

“土著居民在欢迎我们！”史木茨高兴地喊道，“我去

把吊带拿出来。”

“朋友们！”猫侦探看着远处兴奋地说道，“伟大的时刻到了，我们到达了目的地！看，那就是猴岛！就差找到贼仔和解救出布拉卡了！另外，我们还要拿回他从我们这里偷走的所有东西。”

海鸥们飞到帆船前，纷纷落在横桁上，把横桁都压弯了。接着海鸥们又开始用它们自己的土话唧唧喳喳交谈起来。其中有几个还绕着鹦鹉的窝转圈，并发出像大雁一样的叫声。

鹦鹉库伦头上的一撮毛都竖起来了，摆出谁也没看见的样子，偷偷地扔着海藻。

团队预感到危险在即，激动地听着船长讲话。只有鲁滨逊离开大家，聚精会神地察看着。

“那里有什么不对劲！有什么东西我没看明白！那边发生的事也不对头！这个岛不是我们要找的！”鲁滨逊跳到猫侦探面前，抓住他的爪子，严肃地说，“我不喜欢这里！如果我没看错的话，那里有上千只海胆！阿嚏！”

“别动我们的猫侦探！”老鼠们尖叫。

但是，鲁滨逊反倒更用力地抓着猫侦探的爪子了。

“阿嚏！我的嗅觉非常灵敏！我嗅到了！那里有什么不对头！我的视力非常好！我看见了！这不是我们要找的那个岛屿！阿嚏！阿嚏！危险在每一个波浪后面等待着我们！”

“不用害怕，鲁滨逊！我是天才猫侦探，我不会出事，我的朋友们和我在一起也不会出事。再说，如果我们不登陆，怎么能知道是不是我们要找的那个岛屿呢？”

“对！”乌古哈挤兑宠物鼠，“不用杞人忧天！如果需要，我们会搜遍全岛。我们在梦魇海上看见的悬崖，甚至礁石都要搜遍，只要能找到我最珍贵的手稿！”

“还有布拉卡！”老鼠们尖声尖气地说。

宠物鼠鲁滨逊抓着头喊道：“我怎么办呢？我有陆地过敏症！我要留在船上！还有我对所有动物和东西都打喷嚏！阿嚏！”

“我也留在船上！”信号灯哥伦布阴沉着脸补充道。

“你是因为什么？”

“我作为真正的船长，虽然说过去是，但也应该最后一个离开大船。而现在鲁滨逊暂时没有离开，我就不好走开。这是规矩！”

“这个规矩不能沿用到我身上！”猫侦探喊道，“沿用到我身上的只能是我喜欢的那些规矩！”

动物们一个接一个地上了小船，宠物鼠鲁滨逊和信号灯哥伦布跑进船舱躲了起来。作为真正的航海家，他们对危险有敏锐的嗅觉。

真尼开始划桨，小船驶离了大船。

“哎，你们把我忘了！我怎么卖我的吊带呀？”史木茨在甲板上摇晃着他的纸盒子，焦急地走来走去。

“送给海鸥当礼物吧！”猫头鹰喊道。

史木茨沮丧地抬起头，放下了爪子。才过了一秒钟，海鸥就大声地叫起来。由于丢失了龟甲而不好意思游泳的莎娃留在船上，他听到叫声赶紧躲到筐里去了。黄鼠史木茨把吊带挂得到处都是，自己则顺着桅杆往上爬。

球恰也留在船上。无论皮克和布布沙怎么想把她从船舱里拉出来，她都断然拒绝。

小船终于到了岸边，团队成员奔向沙滩。

猫侦探环顾一下四周，伸出爪子说：“那边！”

大家都朝他指的那边走去。

团队刚刚深入岛内，猫头鹰就大声喊起来：

“啊！啊！啊！这是什么呀？这是什么动物？太可怕了！”

地上躺着一只奇怪的动物，他有一个脑袋和许多只爪子。所有爪子都精心地卷曲和

缠绕在一起，没有人能看清他究竟有多少只爪子。猫侦探猜测大概是八只。

“爪子们！”八爪怪大声喊道，“抓住这些不卷腿的家伙们！”

这时，八爪怪们像大线团一样从石头缝里滚出来。它们把动物团队紧紧地围住，瞪着浅灰色的眼睛，毫无表情地看着他们。

“吱！吱！”老鼠们惊恐地叫起来。

“大家好！”猫侦探环顾着周围说。

一个年老的八爪怪，看样子是这里的首领，用勉强能听到的声音说：“感谢海浪！给我们送来了新的爪子！”

猫侦探达芬奇把爪子藏到背后说：“你们好，动物们！我可以提出对你们有利的建议！我们能找到共同语言！我是著名的猫侦探达芬奇，著名的英雄、天才，还是一个美男子。这些都是我的忠实朋友！”

“同时还都不好吃！”猫头鹰抖动一只爪子补充说，“如果你们想吃一个的话，那就吃他吧！”她用翅膀敲了一下真尼的帽子。

“不能吃我！我有明星病！”真尼面色阴沉地说。

八爪怪们扑到真尼身上，瞬间就把他的爪子打结缠上了。“你们干什么呀？别动我！你们干什么呀？我痒痒！”真尼倒在沙滩上，扇动着翅膀。八爪怪们很快对他失去了兴趣，转动着浅灰色的眼睛，一下子都朝猫头鹰冲了过去。

“爪子！爪子！空闲的爪子！”喊声从四面八方传过来，“把爪子给我们！”

最短小的一章
（某些粗心大意的女作家甚至都忘记编号了）

一个小动物在浅黄色的沙滩上追逐着波浪奔跑，活像那个贼仔。

他穿了一身黑，且不说手上戴着黑手套，脚上套着黑色的拖鞋，嘴脸也藏在黑色的面具里，就连尾巴都缠上了黑纱。正如小动物自己期待的那样，谁也没发现他，可能是由于他成功地伪装了自己，也可能是由于猫侦探达芬奇的团队正在岛屿的另一端，处在危险当中，他们还没有时间顾及这个奇怪的动物。

这个动物跑遍了整个岛屿，怎么也没有找到他要找的东西，后来就躲藏到山丘后面去了。

这时，水手信天翁们一个跟着一个地离开了帆船，不知道都飞往何处去了。从此以后谁也没有再见过它们，也没有谁想起它们（这事本身也挺奇怪）。

母鸡真理报

重大新闻！我们报纸的重大革新！

你不喜欢记者们写的东西吗？你连一句都不相信吗？你不愿意看别人的照片吗？不必绝望！给你提供一个特别好的机会：买一张我们的报纸，自己在上面写一篇文章，贴一张自己的照片！可以直接在本页中完成！

抓紧点，否则其他人会捷足先登！

在空白处写上自己的文章

此处贴自己的照片

此主意已取得专利权！不能盗用！啄你！

母鸡苦大哈

独立见解

这些记者们真是厚颜无耻！用白纸挣钱！如果他们还这样干下去，我就出版关于猫侦探达芬奇的无字书，读者自己想写什么就写什么！插图也随便画！

猫头鹰乌古哈

第十章
八爪怪是怎么生成的？

八爪怪到处都是，它们暴眼突睛，纠缠成团，正朝猫侦探他们滚动着，越来越近。猫侦探达芬奇身处这种环境感到很不自在，他的团队就更不用说了。

“都站住！你们有自己的爪子，为什么还要我们的？”猫侦探喊道。

八爪怪们停下了，惊慌失措地看着自己的首领。

老八爪怪翻着白眼，它的身子是淡绿色的，由于爪子相互缠绕着，因此行动**举步维艰**。“我们的爪子少！我们需要新的！我们自己的都缠起来了。”它痛苦地说。

“你们为什么把爪子都缠起来了呢？难道正常爪子不能在沙地上奔跑吗？非得缠绕成结不可吗？”

老八爪怪叹了一口气，所有的八爪怪都跟着它唉声

举步维艰：迈步艰难，比喻事情每向前进行一步都十分不容易。

叹气。

“我们非常喜欢数数！可是我们的爪子太少，一共才有八只。这样，我们只能掰着爪子数八件东西。我们数了所有的石头、山丘、树木，但是我们的爪子不够数清楚所有的海浪、星星和昆虫！这是真正的悲剧！我们现在连一只空闲的爪子都没有了！海浪终于给我们派来了空闲的、没有缠起来的爪子！感谢海浪！”

“感谢海浪！”所有的八爪怪都开始点头，转动着眼睛，朝动物们扑过来。

猫侦探觉得马上就要倒下去了，用全身的力气大吼：“难道为了数东西就必须掰着爪了吗？”

“怎么能不必须呢？不掰爪子是不可能的！”老八爪怪生气地说，“你想迷惑我呀，你这个红褐色的外来客！”

老鼠们吱吱地大叫起来，八爪怪们吓得都闪到一边去了。

“我们的侦探从来都不撒谎！”

“我们的侦探是天才！”

猫侦探达芬奇说：“安静，朋友们！我们应该帮助这些不幸的动物们，把它们缠绕在一起的爪子解开，教会它们开始新生活！”

“乌拉！”老鼠们尖叫欢呼，八爪怪们用力地往后退。

“我，真正的天才，要教会你们快速数数，你们甚至都用不了解开爪子结的时间就能学会。每一个有涵养的八爪怪都必须认识数字和会数数，这非常简单！一只爪子，这是数字 1，两只爪子，这是数字 2，以此类推。老鼠们，把书包里的彩色粉笔拿出来，这些粉笔此刻太有用了！我现在开始在石头上边写边画教会他们！”

八爪怪急得瞪着眼睛，滚到猫侦探跟前。老八爪怪喊着什么，但是很快也消失在一群同类堆里。

猫侦探达芬奇在石头上写上了所有的数字，然后讲解怎么用它们进行加减乘除，以及怎么样求出它们的平方根。

猫侦探达芬奇的数学课！

试着算一算！

八爪怪们被猫侦探的讲解深深吸引，以至于互相往脑袋上爬，就是想看见猫侦探写的东西。它们解开了爪子上的结，只要看见什么，或者发现爪子下面有什么就开始数数。

八爪怪们欣喜若狂，不知道该怎么感谢天才猫侦探才好，就用刚解放出来的爪子友善地拥抱他，差点把猫侦探抱得喘不上气来。

真尼高兴地想数一数跳跃着的八爪怪们，但是每次数的数字都不一样。

八爪怪们迷上了算数，到处都写满了数字，海岸边，所有的树木上，舢板上，甚至连真尼的脑门上都写满了。

“我们该怎么感谢你们这些善良的来客呢？”八爪怪们问。八爪怪们现在已经能用自己的所有爪子走路了，它们非常高兴，它们还能跳得很高，甚至撞到了几个胖海鸥。

猫头鹰很后悔没有随身带几本书，否则还可以卖个好价钱。她焦躁不安地想着要向八爪怪们要求点什么回报，无意中不小心啄了苦大哈一口。

苦大哈刚想报复她，这时猫侦探开口说话了：

“噢，宽宏大量的八爪怪们！我们不需要你们的任何东西！就希望你们能告诉我们猴岛在什么地方，除此之外我们没有任何要求！”

“我们不知道这个岛！”八爪怪们争先恐后地喊着，“我们只能数一个岛，它在我们的南边。数再多的话，我们的爪子不够了。那个岛上住着一个巨大的方形乌贼，她

非常聪明，知道我们这里的所有岛屿。把船开到她那里去，她能帮助你们。”

“谢谢，八爪怪们！朋友们，我们赶紧上路吧！要是贼仔第一个到达怎么办？都快上船！”

动物们和八爪怪们告别后就推船进水，小船随波逐流，速度很快。真尼乱成一团，自己把腿打上结了。岸上的八爪怪们挥舞着爪子送别他们。

八爪怪们稍微平静一些后就开始互相数数，可是怎么也数不到老八爪怪，不知道他躲到哪里去了。

“这是我们的第一个数学错误！”变聪明了的八爪怪们很伤心。

母鸡真理报

快讯！！！

猫侦探达芬奇教会了八爪怪数学！现在所有的八爪怪都会把数字加起来，求出平方根，还会和零相乘。

重大新闻

老八爪怪的秘密揭开了！他躲开是因为他没有计算能力。谁不懂算术，谁就不能在岛上生存！

著名音乐家和歌手真尼说猫侦探达芬奇具有非凡的能力，从任何一个方面靠近他，都会笼罩在他的光环之下。

又一件重大新闻！

老八爪怪解开爪子上的结后，他发现自己有十二只爪子！这太惊奇了！八爪怪们还有多少数学秘密需要揭开呀！乌拉！数学万岁！

母鸡苦大哈

第十一章
喂，贼仔，坚持住啊！

可怜的松鼠布拉卡已经苦不堪言，她被关在橱柜里，绞尽脑汁想出逃计划，可是什么好办法也没想出来。“唷，要是猫侦探达芬奇在我身边就好了，他什么主意都能瞬间想出来！”

布拉卡由于痛苦难忍开始嗑橱柜的隔板。当然，她也不停地呼救，还咒骂贼仔，贼仔就威胁说不给她吃东西。

布拉卡拿他的话当耳边风，甚至还编了一首侮辱性的歌曲，她唱的时候自己都憋不住哈哈大笑：

愚蠢贼仔大傻瓜！
柜门丢了不算啥！
校门根本没进过，
如今遇事就抓瞎！

贼仔愤恨难消，一步也不离开橱柜。松鼠甚至开始怀疑贼仔把橱柜放到他自己的舱里了，甚至是用小车拖着到处跑。

不过，这些都没什么特别的，因为贼仔本来就是一个非常古怪的动物。真正奇怪的是，布拉卡在航行路上已经好多天没听见过除了贼仔以外的声音了。

难道海盗们一直都不说话吗？这意味着什么呢？

贼仔话说得很多。他一会儿哈哈大笑，一会儿又把自己封为国王，一会儿又辱骂猫侦探。布拉卡和他激烈地争吵，这让贼仔狂怒不止。

橱柜隔板被嗑得越来越薄了，布拉卡脑子里又冒出一个主意，如果开始从里面嗑门，那橱柜自己就会散架。如果这时候正好贼仔睡着了，那她就可以用吊带把他捆起来，占据帆船驶回动物城。海盗们失去这个凶恶的船长，也就都不是什么勇敢的水手了！

这个勇敢的计划让布拉卡的尾巴毛都竖起来了。

“喂，贼仔，坚持住啊！”

重大新闻！！！
非比寻常的巨大方形乌贼！
方形眼睛
方形棱角
方形躯干
方形嘴巴
方形腿
抓海盗
抓大的，
更大的！

第十二章　方形乌贼

噢，可怜的方形乌贼！
既不能滚，又不能爬！
不能顺势从山顶滚下，
都是方形棱角害了她。

躺在峭壁上苦无涯，
亮棱角把海鸥恐吓。
噢，若能像球一样滚，
她心里定会乐开花！

梦魇海的传说

猫侦探和猫头鹰出发去和方形乌贼谈判。

这个地方应该算不上岛屿，只是一个不太高的峭壁，有一块平整的小广场。开始猫侦探以为广场上躺着的是一大块方形石头，后来才反应过来，这就是那个方形乌贼。

猫侦探围着她走了一圈，想看明白她的脑袋在哪里。可是，方形乌贼全身各处都是一样的方块。

“喂！有谁在家吗？”猫头鹰跺了一下细爪子问道。

这时方形乌贼一个侧面的方形眼睛睁开了，方形嘴也出现了。

“噢！”方形乌贼说。猫侦探感到她说这个“噢”时嘴也不是圆的，而是方的。

“你好，方形乌贼！你能帮助我们这些英勇的救援者和天才的航海家们找到猴岛吗？”猫侦探不加思索地说道。

“又来无理取闹！”方形乌贼很生气，“来了就把我吵醒，还提什么要求！你们不是来帮助我的，一切都是为自己，自己……骗子！”

“我们的猫侦探不是骗子！他是天才！他无所不能！他是真正的英雄！”

“英雄？”方形乌贼惊讶地瞪起了方形眼睛，“我正需要英雄来帮助我呢。”

“好啊，我来帮助你，那你也要帮助我们找到那个岛，同意吗？”

方形乌贼叹了一口气：“我非常不幸！我急需帮助！我全身都方方正正，这样一副古怪的样子，这样……这全是误会呀！”

对她说的每一句话猫侦探都点头，然后微笑着说：“这样太好了！你是独一无二的！举世无双的！你就是轰动新闻！八爪怪有几千个，它们没什么可骄傲的，而你可以什么也不用做就成为大名鼎鼎的动物！注意啦！方形乌贼现在讲话！她不能爬，也不能滚！乌拉！”

方形乌贼微笑了，同时瞪起了方形眼睛。

“不过，如果我动弹不得，我能去哪里呀？以前我有个朋友抹香鲸，它用背驮着我，可是后来它不见了。那么小的抹香鲸在这么大的海里，找不到了！”

“难道抹香鲸通常都很小吗？”猫头鹰警觉地环顾了一下四周。

“是的！它很小，和你们的帆船差不多大！”方形乌贼突然高声说，“我非常了解！我们是好朋友！它身上一个棱角也没有！”

“想游泳，不需要抹香鲸。第一，我们给你装上两个自动轮子，这样你随时想去哪里就能去哪里。第二，我们带你到我们的船上去，然后和我们一起回动物城。那里地方很大，你会非常愉快。不过，这些都要等我们去过猴岛以后！”

“真的吗？”方形乌贼高兴了，“好，如果是这样，那我现在就告诉你们去那里的航线。你们写下来或画下来吧。”

你们将要航行很长时间：

2 天往北，3 天往东，4 天往南，

4 天往西，2 天往北，

再半天往东，然后就到猴岛了！

“哈！你是怎么记住的呢？”猫头鹰很惊奇。

“我的记忆力非常好，只要我看见一次的东西，能说

一千次，我说过一千次的东西，能唱一亿次！想听吗？我给你们唱一个。”

“哎，算了！我们现在顾不上听歌曲！”猫头鹰打断她说。“太恐怖了！这是15天呢！要半个月才能到啊！可怕！没有别的路吗？”

“有，那要走的时间比这个还长。”

为此要航行：

2个月往北，3个月往东，

4个月往南，4个月往西，

2个月往北，

再半个月往北，这样就到猴岛了！

猫头鹰抓着自己的脑袋说：“这已经是15个月了！就是说，这是一年零三个月！太可怕了！”

猫侦探慢慢走了一圈，聚精会神地想着什么，然后说：

“不用害怕，我的朋友们！有更短的路！你们等着吧，我们用半天时间就能到达猴岛！”

“这是不可能的！”方形乌贼生气了，“我说的是正确的！”

“这是可能的！现在我给你们讲解！”

猫侦探在石头上画上方形乌贼的那个岛，再画上猴岛，

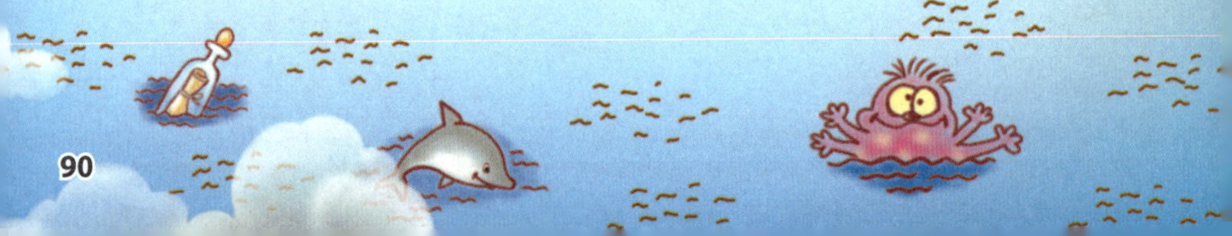

然后画出方形乌贼建议的路线。这样一看确实很远。

“看，一条短的路线！”猫侦探说着画了一条线，出现了一个很小的地带。

“乌拉！”大家欢呼。

“我们先救出猴子们，然后回来带上你到我们动物城去！”猫侦探对微笑着的方形乌贼保证说。

“我可以选择现在就跟你们一起走吗？”方形乌贼不好意思地问，尽量表现得天真一点。

“可以！”猫侦探爽快地回答。

方形乌贼爬进船舱，马上就打起呼噜来。她一直到梦魇海的传奇故事结束时才睡醒。

母鸡真理报

快讯！！！

重磅新闻！

猫侦探达芬奇不知道找到了一个什么动物，立刻把这个动物变成了大明星！

也许猫侦探不明白，不应该再继续制造未来的明星了，而是需要回过头来看看和关注一下世界上优秀的记者们。

P.S. 或者直接
帮助猫头鹰！！！
猫头鹰

P.S. 或者帮助史木茨！！！
史木茨

P.S. 小猪
不认识是谁

P.S. 从小猪那里听到的！
不知道是谁

P.S. 不要听，要读！
不认识是谁

P.S. 你别再弄了！报纸垃圾够多了！
没有你们垃圾已经很多了！看见纸就紧张！
苦大哈

P.S. 唉！有谁没有？
黄鼠

P.S. 噢！
黄鼠

P.S. 瞧你们！我走了，寂寞！
黄鼠

P.S.
看吧，又没赶上！刹车！

第十三章　海中迷雾

帆船轻快雾中行，融入茫茫大海中。
此处大雾浓又密，船长无处觅行踪！

一只爪子伸向前，盯住迷雾凝住神。
他沿旋梯往下走，光荣船长何处寻？

帆船停下了，篷帆悠悠悬垂着。周围一片寂静，梦魇海上升起可怕的大雾。雾又厚又浓，如果某一个动物把爪子伸到前面的雾里，也就只能看见一半爪子。如果是尾巴，那就干脆看不见了。

信号灯哥伦布提着马灯在船头伫立良久，一直想要看出个究竟。起初，船的轮廓他还能大致看清，可是大雾一团团升起，越来越浓，就完全没有能见度了。

帆船停下，猫侦探达芬奇要召集一次全体会议。

海狼猛地冲过来找猫侦探。由于太着急，他有两次都踩到了宠物鼠的尾巴，撞翻了好几个木桶，还差点撞倒在船舷上若有所思的真尼，最后站定在桅杆旁边。皮克以为自己看的是达芬奇，实际是布布沙，布布沙目不转睛地看着苦大哈，苦大哈盯着莎娃，莎娃同样看着皮克。他们就这样组成了一个奇怪的像跳圆圈舞的队伍，一个跟一个地转圈往前走，在大雾中能看到点什么都使他们快乐不已。

球恰认为在雾中她不可能看见船尾，所以也从舱室里出来了。可怜的小老鼠！她非常想把她看见的东西告诉达芬奇，可是又害怕这真会变成现实。

团队的成员们跌跌撞撞，总算集合到了天才船长身边。猫侦探说："如果明天不起风，我想改进一下帆船，让它能无风航行。大雾若还不散的话，我就不得不发明一个驱雾器。

我已经有一个具体方案，不过这些都是明天的事。现在我宣布警报解除，大家都回船舱去！在新的意外事故到来之前要把觉睡足，我感觉这些意外事故不会让我们等很久。”

“那我走了！”有谁“哎哟”了一声，他的轮廓像极了长着嘴和翅膀的干草垛，“我终于可以开始办我的大事了！”

“不能走！会议还没有结束呢！”一个身影用鼻音说，从远处看像一把体态匀称的雨伞。

“不能听秃背乌龟的！”干草垛又喊了一句，“找到你的保险柜，然后再来耍威风吧！”

“你们回去睡觉之前，要留下一位夜里在甲板上巡逻。”猫侦探继续说道，“如果大雾突然散了，贼仔的船就会从附近开过去的！”

“他自己开过去就开过去呗，关我什么事呀？”还是那个哎哟声。

在猫侦探的另一边站着一个模糊不清的干瘦轮廓，很像一根戴帽子的原木。他咳嗽了一声，学真尼的嗓音说：

“哦，恶梦般的恐怖和忐忑不安！我的航海病突然发作了。这种病只能比作……”

“……只能比作我的航海病。”这时附近一个自行车轮廓晃荡起来。这究竟是个什么动物，航行途中用了两天时间都没确定下来。虽然全队都一致认为这是史木茨，可是史木茨认为是谁都行，就不是他，甚至可以是贼仔，或者就是一只偶然从附近路过的企鹅。

球恰感觉到现在好像要挑选她做夜间巡逻员，所以立刻就用爪子捂上脸，虽然谁也没看见她的爪子，更没看见她的脸，就连球恰的身体也没有谁看见。

可是，这时候奇迹出现了。信号灯哥伦布踩了一下鲁滨逊的爪子，鲁滨逊战栗了一下，马上开口说道：

“我来做夜间巡逻员！我会是一个最机警的夜间巡逻员！我要在甲板上来回走动，寻找贼仔！我最棒！”

“罕见！惊奇！”戴帽子的原木高兴了，精神振奋地哼唱起来，声音刺耳。

猫侦探握了握宠物鼠的爪子（实际上那是猫头鹰的尾巴），祝他巡逻顺利。然后大家就都摸黑回船舱睡觉去了。宠物鼠鲁滨逊独自留在甲板上，大雾、自身的恐惧感、刺耳的吱吱声围绕着他。密实的雾幔就像一块垂下来的巨大云彩笼罩着他。

唯一没看见大雾的就是松鼠布拉卡。她这时正在嗑橱柜的壁板，嗑得很厉害，现在都不敢再碰了。只要碰一下，橱柜立刻就会散架子。现在需要的是寻找行动的时机。

最好的时机就是等贼仔睡着了，那时他什么也来不及做。散架的橱柜瞬间就会倒下去，一下砸中贼仔。这样他就会张着嘴死掉。松鼠也不会惊慌失措，她会跳出来，迅速地用吊带把他捆上！这以后，如果海盗们还没醒，那就把他们都捆起来，如果他们醒了，他们也会由于害怕而听从布拉卡的指挥。

布拉卡还想在橱柜底上写出行动计划，但由于光线太暗没写成。只要每件事都不搞砸，她就能以一个战胜凶恶贼仔的女英雄身份回到动物城，而且还是一个美丽的女英雄！

第十四章
“漂泊的鬼魂”

不在你生日当天发生，
遇上鬼魂是狭路相逢！
可怕的场景终生不忘！
最好藏木桶里避过风！

几个小时后动物们都睡着了，只有鲁滨逊还在大木桶里辗转反侧。寒风刺骨，他冻得浑身发抖，上牙打下牙，这时忽然听到了脚步声。有谁悄悄地在甲板上走动，停了一会儿，喘了一口气，又悄悄地往前走。

鲁滨逊吓哆嗦了，瞪大眼睛问：“谁呀？谁在那里走？谁在那里来回走个不停？”

这时雾里出现了一个黑色的影子。

“贼仔！”宠物鼠尖声叫道，同时咬了一口大木桶的边儿。

“喂，你安静点！别吼！是我，海狼。”

“啊哈，是你呀！哦，我没听出你的声音！嗯，你在那里干什么呢？”

“干什么？拿吃的来了！我不得不晚来一会儿，等了半天猫头鹰才睡着。这个狡猾的鸟走来走去，整整花了一个小时在试裤子。”

“在你身上试呀？”鲁滨逊惊奇地问。

“跟我有什么关系？你把所有的事情都忘记了？”

“我应该忘记什么呀？你是指我看见什么了吗？”

信号灯哥伦布暴怒起来，扑过去要敲宠物鼠的后脖颈子，可是敲到鼻子上了。“怎么样，想起来了？”

“快把你的爪子拿开！我想起来了！我最爱记仇，就是说，阿嚏，记性好！我是好样的！”

这时鲁滨逊从大木桶里跳出来，自己都不清楚刚才都说了一些什么。

他们站那里仔细听了一会，然后什么话也没说就悄悄地往船尾走去。他们使劲瞪大眼睛，想尽量能看到点儿什么东西。

鲁滨逊突然站住不动，抓住信号灯哥伦布的衣袖说：“我们要是突然在船尾看见鬼魂怎么办？我害怕！”

“你是知道的，完全不是那么回事！”海狼发脾气了，他走到船尾，开始拽绳子。绳子已经掉到水里了，在雾里根本看不见。

“你怎么还站着不动，给我往这里照一下！”

宠物鼠鲁滨逊把灯举到头顶上，突然张着大嘴呆住了。

信号灯哥伦布也抬起眼睛看……

就是在那里发生了最可怕的事情。

浓雾渐渐散去，好像有谁在驱散一样，海狼和宠物鼠看见了一艘神秘大船的船头。船的轮廓依稀可见，一面可怕的破旗一闪而过。甲板上的影子若隐若现。看起来，好像大船悬在空中。

“是‘漂泊的鬼魂’！谁能救我们啊！”信号灯哥伦布小声说，同时卷起了尾巴。

紧抓在他爪子里的绳子开始抽动，好像有谁在拽它。可是信号灯哥伦布一点儿也没注意到这件事。他和宠物鼠往后退，一直往后退，退到很远后撒腿就跑。直到跑回底层甲板上，安全地躲到大木桶里时，他们才大喘了一口气。

宠物鼠吓得发抖，上牙碰不到下牙：“我们看见了鬼魂！我们看见了‘漂泊的鬼魂’，这是帆船遇险的征兆！”

信号灯哥伦布用帽子遮住眼睛，之后再也没说一句话。

这时，那艘神秘的大船完全靠近了猫侦探达芬奇的帆船。如果信号灯哥伦布不逃跑，他就会看出这根本不是什么“漂泊的鬼魂”（根本就不存在这样的东西），而是一艘真正的海盗船。

桅杆上飘扬着一面黑色的旗帜，上面画有心形和两根骨头交叉的图案。海盗们在甲板上跑动。根据不时传出的叮当响声判断，他们武装到了牙齿。在雾中看，他们好像各种斑点在晃动。不过这只是感觉而已。

可怕的海盗——母野猪有一个听起来非常特别的名字，她叫桶妈。她用雾透镜认真地研究了猫侦探达芬奇的帆船，然后又仔细地观察了船尾，用了相当长的时间观察船尾后面的海水。一扇舱门打开了，从那里能看到擦得很亮的小煎锅和绞肉机的摇把儿。桶妈哼了一声，从兜里拿出两个骰子，她用一个可怕的词“骨头”称呼它们，顺手把它们扔到甲板上。

从一个骰子里掉出一条小鱼图案来，另一个骰子里干脆什么图案都没有。

“嗯哼！掉落下去的地方太好了！”桶妈的脑子里描绘出一幅进攻图，她现在就要组织这次进攻。

她沉思了一会，把骰子举起来，在蹄子里转了转，嗅了嗅，突然把骰子连同包装纸一块吞了进去。莫名其妙地哼哼几声后，母野猪开始召唤她的队伍。

海盗们都屏住呼吸等待着命令。

还有一秒钟，一切即将开始。

第十五章 精准打击

坏蛋已入梦，听闻呼噜声。
快，赶快拆橱柜上的钉！
突击！实际就是进行斗争，
布拉卡孤身面对群凶！

关键时刻到了！贼仔好像睡着了。

松鼠身上缠好了吊带，踹了一脚橱柜。随着一声巨响，橱柜立刻四分五裂，柜板散落一地。松鼠打了个喷嚏，同时摆出迎战的姿势。

可是有一块柜板还是落到松鼠的头上，砸得她两眼昏花，让她觉得眼前似乎有些什么影子在晃来晃去。

“啊！”松鼠声嘶力竭地大喊一声，往前跳了一步。她奇迹般地一下子就跳到贼仔的跟前，抓住了他的耳朵，“抓住了！”

“造反了！你背叛我！我柜子锁得好好的呀！”

贼仔拼命挣扎，还试图用马灯打布拉卡。可是布拉卡躲开了，她拿出吊带把贼仔从头到脚捆起来了。速度之快，

连布拉卡自己都不知道这是怎么做到的。

松鼠**旗开得胜**！贼仔被抓住了！现在就剩下抓住海盗们，看样子只剩最后一搏了。

布拉卡回头看了一眼，差点把贼仔撞到水里去。还有，

旗开得胜：比喻事情一开始就取得好成绩。

她总觉得眼前模模糊糊飘着什么东西。这并不是因为板子砸的，而是长时间关在柜子里导致的，好像周围一直烟雾缭绕。这还不是最可怕的。布拉卡现在不是在一艘帆船上，据她猜测，她现在是在一条小船上。船上装满了各种各样的东西。船一直没有翻，真是个奇迹。这些东西都是贼仔从动物城偷来的：钢琴、书籍、保险柜，以及很多其他东西。船头上有牵引钢索，隐没在迷雾中。

“大船在哪里？”松鼠摇晃贼仔问道。

“呣！呣！……”贼仔嘟嘟囔囔说不出来。

“不要像牛似的哞哞叫糊弄我！”松鼠又晃动一次贼仔，发现贼仔的嘴被绑着，他根本不能说话。松鼠有点难为情，她急忙把吊带从贼仔嘴上解下来。

贼仔立刻尖声叫起来：“这是梦魇海！给我松绑，我都告诉你！我早就想把你放了，亲爱的布拉卡！说真话，我很喜欢你，之所以把你劫持到这里，是因为我疯狂地爱上了你。在你小的时候，我就喜欢你。你的尾巴是那么美，眼睛也是，嗯，怎么说来着……非常迷人！是的！”

“我小的时候你也没见过我呀！”松鼠很生气，把牙齿咬得咯咯响，“又撒谎！”

“见过！见过！放了我吧！我给你写诗！你听着！‘没有你，布拉卡，生活就是一塌糊涂！’”

松鼠的心被感动了。一方面，她抓住了凶恶的罪犯，他完全没有怜悯之心和宽恕之情；另一方面，他可能就是一个头脑混乱，由于没有得到爱情而丧失理智的动物。要知道，每个动物都会爱上这么漂亮的布拉卡的！

贼仔假装欢笑，抽动了一下鼻子，突然撇嘴做起鬼脸，眼睛里闪出不怀好意的神情。

“救救我！”他尖声叫喊着，“救命！”

远处传来一个声音：“不准欺负男性！”

布拉卡惊恐地收起爪子。

一块鲜红色的舢板从雾中驶出。桶妈两只蹄子交叉着放在肚皮上，站在舢板的最前端。一群海盗在她左右吵吵嚷嚷。桶妈的女儿站在他们的后面，她是一个身材修长、年轻消瘦的母野猪，名叫吸管，她把缠着海盗旗帜的船桨举过头顶。小船钻进船舷，松鼠差点掉到海里。

“救救我，可爱的海盗们！”贼仔假装吓得发抖，上牙打着下牙，“这个松鼠是个可怕的强盗！她来梦魇海的目的就是要抓你们！我曾试图阻止她！”

“团队注意！准备进攻！”海盗桶妈命令道，“船舷靠船舷，保护可怜的老鼠，把松鼠扔出船舷！小点声，别惊动大船上的动物们！”

“不要把我扔出去！这样不对！我谁也没想抓，是他抓的我！”松鼠喊道。

贼仔把被捆绑的爪子伸给母野猪看，同时右眼里挤出一滴泪水。

“请相信我，可爱的海盗们，我一直都讲真话！我只是一个可怜的小老鼠，对谁也没做过坏事。我会打结和用牛乳做酸奶，我对你们是有用的！可是她一点儿用也没有！她在我尾巴上打了结，想抓我当俘虏！然后抓你们和全世界的海盗当俘虏！”

“太可恶！”母野猪哼哼着，“可怜的小老鼠！我们带

猫侦探达芬奇家庭作业

画善良的海豚

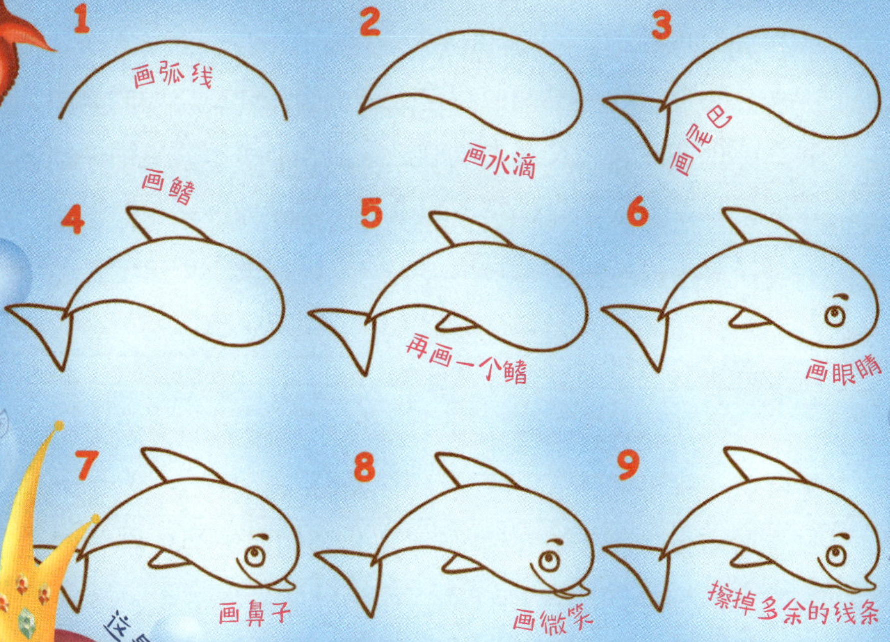

着他！用梦魇海的老话说：‘男子汉在船上就是福。’但是，你，松鼠！我现在按我们海盗的方法处置你！”

布拉卡气得喘不上气了：“不能相信他！他是个凶恶的坏蛋！是他把我关到橱柜里的！”

“看见了吧，她在撒谎！”贼仔哼了一声，“那里根本就没有柜子！”

“有过柜子！”

“啊哈，你再说说，我这么一个手无缚鸡之力的老鼠，怎么能把你这又大又有力气的松鼠拽到柜子里，又把你锁到里面！我连一个茶壶都拿不起来，一拿就掉下去！”

母野猪挥动着蹄子，跳到小船上，撞倒了布拉卡，差点儿坐到贼仔身上。船底发出很大的“嘎吱嘎吱”响声，还好船没进水，只是摇晃得非常厉害。

“你想跟谁撒谎？我吗？桶妈？梦魇海的大魔王吗？像鲨鱼一样恐怖，像妖怪那样可怕的大魔王？嗨，算了吧！哎，海盗们！把所有的东西都拖到咱们船上去！松鼠留在小船上，别给她淡水和食物！如果她还能活下来，就让她给大家讲讲遇见桶妈的故事吧！”

布拉卡吓得气都出不来了：“你们不能这样干！猫侦探会游过来找我的！”

这时贼仔突然插进来说：“噢，名满天下的桶妈！我不

建议这么做，从这个松鼠身上你可以拿到大把赎金！那个阿猫可以为了她拿出一大堆贵重的宝石！”

“真的吗？”女海盗非常高兴，“赎金，这个好，我喜欢宝石。那就这么办了，把松鼠也带上。你这个紫色的小老鼠，就负责给我讲述那些我从来没去过的遥远国度的历史，说说那里可以掠夺到什么东西。全体上船！到早晨之前解除警报，俘虏都锁到舱底！”

这样，几分钟之内布拉卡就从这只手又转到另外一只手里。

而猫侦探就在附近！

第十六章 “黑玫瑰”

顺便说一下，夸一夸，
海盗都爱桶妈妈！
怎么能不崇拜她，
她是我们的桶妈呀！

颂歌

猫侦探因感到发生了什么不愉快的事情而惊醒。他环顾一下自己的舱室，一切都和昨天晚上一模一样。靠墙是带镜子的衣柜，墙上挂着朋友们的照片。吊床、写字台上堆放着很多纸张，一切都没有改变！

在帷幔遮挡得不太严的舷窗外，有什么东西在动。猫侦探从吊床上跳下去，猛地拉开帷幔。

在猫侦探的眼前慢慢地浮出一个图案——黑玫瑰。

“这是什么东西呢？”

达芬奇抓起船长帽子，拿起望远镜，急忙套上马甲，跳到甲板上。

雾已经消散，微风吹拂着洒满晨光的船帆。猫侦探惊呆了，他的“无畏号”帆船旁边还有一艘船。这艘船非常怪异，你很难想象出它是怎么漂浮在水上的。

船上到处是参差不齐、形态各异的小梯子、秋千、占卜

用的板床，船身上面画满了花草和星星图案。挂在各个横桁上的小铃铛、灯笼、小旗及其他东西随风摇摆，但凡有点尊严的海员都不能容忍在船上放这些乱七八糟的东西。

猫侦探用望远镜观察着，越看越感到惊讶。他看到甲板上铺着各种颜色的编织地毯。地毯旁边，通向舷梯处，整齐醒目地摆放着各种尺码的小靴子、拖鞋、女式凉鞋。舷窗明亮，玻璃后面是带蝴蝶结和花边的帷帐，看得出，有些地方还规规矩矩地织补过。

猫侦探把视线转移到帆船的船舷上，看到了船的名字，那是用浓稠的黑色油漆写成的“黑玫瑰”三个大字。除此之外，还有同样是用浓黑油漆写的“紫色的紫罗兰、玫瑰色的玫瑰、天蓝色的水越桔、忘不了的勿忘草、黑色的黑莓果”。再下面是用金色字母写的“针眼吸管”。

岂能枉然不自豪？

风浪称兄胜知交！

海上疾驰如飞鸟，

潇洒海盗看今朝！

“黑玫瑰”船上到处都是奇怪的动物，它们穿着各种颜色和各种条纹图案的裙子，从远处看就像海魂衫。

在“黑玫瑰”船头上有一个字幅在摇曳，上面写着“女士优先通过”，船尾上挂着的字幅则写着“不

许超船，那是侮辱”。驾驶盘上挂着一面圆形镜子。大船后面跟着一艘小船，小船上装满了东西。达芬奇没有细看具体是什么东西，因为这时他看见另外一样东西，这东西让他全身的毛都竖了起来：在一根最高的横桁上飘着一面黑色的旗帜，上面是心形和两根骨头交叉的图案。

“这是海盗船！”猫侦探喊道，“吹口哨命令全体船员上甲板集合，准备迎战！海盗就在我们身边！”

这时从“黑玫瑰”船的底舱传出巨大的响声，像是玻璃破碎的声音，又像是煎锅掉到地上的声音。一只又大又胖的母野猪跳到甲板上，她哼哼的声音震耳欲聋，惹得从船里面又传出敲击什么东西的叮当响声。

“如果我们不尽快驶离这个地方一定距离的话，那个小老鼠就不吃不喝！我非常烦恼！我心跳加快！把那个高尔夫衫摘下去！把中心横桁的那几件衬衫都扯下来！右边的旗杆挂上左边的那条裤子！吸管，快回大舱室，穿上运动鞋！把稀粥喝完！别挡住光！”

“哎哟，妈妈，我还在晒太阳呢！早晨的阳光对鬃毛有益处！”从上面传来了声音。

在很高的横桁之间，一只小母野猪在摇床上荡悠。她

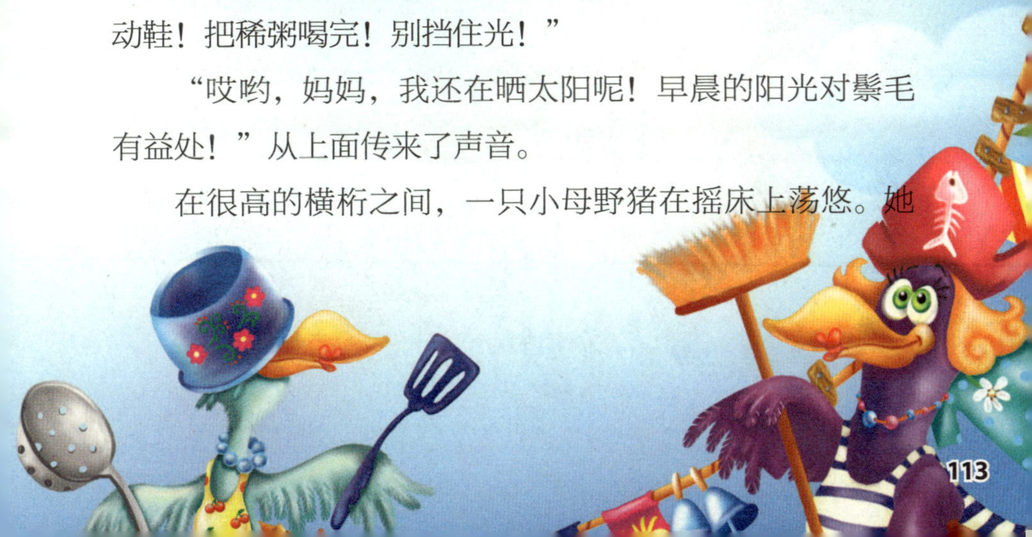

打扮得**花枝招展**，不像乘船航行在**险象环生**的梦魇海上，而是像就要出发去参加猫头鹰乌古哈的生日派对。

她全身装束五彩斑斓、闪光耀眼，宛如一棵圣诞树。猫侦探在望远镜里看见她耳朵上的大耳环和猪拱嘴上的光影。修长的四肢悬在摇床外边，随风摇摆。

帆船有点倾斜，速度慢了下来，却蛮横无理地把宽大的船尾转向猫侦探的船。船帆鼓满了风，实际应该叫衬衫帆、裙子帆、袜子帆、帽子帆、高尔夫衫帆及其他绑在横桁上的衣服帆。

松鼠布拉卡出现在海盗船上，她拼命地挥动着爪子吸引大家的注意。

“布拉卡在海盗船上！”猫侦探喊道，“快追！”

花枝招展：形容女子打扮得十分艳丽。
险象环生：危险的局面不断产生。

梦魇海上的怪事时有发生。突然狂风骤起，“无畏号”像装了火箭发动机一样飞速前进！而“黑玫瑰”不知道为何开始减速，达芬奇和他精神饱满的团队从目标旁边疾驶而过。

“全速后退！”猫侦探下达命令。

风儿好像听到了这道命令，船帆鼓向另一边，帆船开始以同样快的速度返回。

“这又是什么把戏？”桶妈惊奇地说道。实际上她可能还没有发现她自己的船开始嘎吱嘎吱响，同时减慢了速度。

达芬奇还没来得及大声发出命令，帆船突然不听指挥地做了几个不规范的动作。它忽左忽右，忽上忽下，驾驶盘也不正常地旋转，船锚随着海浪起伏跳动，像一个浮标。

帆船在海盗面前驶来驶去很长时间，这帮海盗都看傻眼了。这时船突然以自己为轴心转了一圈，然后直接停在“黑玫瑰”前面。

海盗们大声欢呼鼓掌，他们高兴地跳跃着高喊“好啊！”

“是啊！这是梦魇海神秘不可理解的一面！”信号灯哥伦布叹了一口气说，他的脸被帆船颠簸摇晃得都变绿了。“我感到将会有暴风雨。现在没什么事，因为太阳还高悬着，天空中没有一块云彩。我见过这样的暴风雨，在既没有云又没有风时突然降临！梦魇海就是梦魇海，任何时候都猜想不到几分钟之后要发生什么！”

“哎，那里的小动物们！我喜欢你们游泳的奇妙姿势！”吸管拽出一个手帕，用力地挥舞着。

猫侦探抓住一条缆绳，把拴在缆绳上的钩子抛向海盗船，钩子钩住了船舷。

动物们开始拉缆绳，让他们的船靠近海盗船。老鼠们围着猫侦探跑，使出浑身解数鼓励他。海盗们从自己那一边抓起缆绳，兴奋地拉起来。

这时桶妈身边出现一个奇怪的动物。他脑袋上顶着一个小水桶，用渔网当衣服，衣服下面耷拉着一根紫色的尾巴。这是乔装的贼仔，他给桶妈一个信号，趴到她耳边吱吱地说着什么。

“贼仔在那里！那是贼仔！”球恰跳了起来，“就是他！我认得他的尾巴！”

两艘船慢慢靠近。

“啊——这不可能！”桶妈不停地眨着眼睛，“不要害怕，贼仔，我不会让你受到欺负的！”

桶妈用蹄子把贼仔推到舱口，恶狠狠地哼哼着：

“看吧，我现在就整治他们！哎，海盗们，你们都干什么呢？这是敌船！进攻！”

“进攻？”吸管失落地问，“我们为什么要对他们发起进攻啊？多么好玩的小动物们呀！”

“这些小动物都是可恶的坏蛋，他们要从我们这里劫走那个善良的小动物！”

“啊，是帮恶棍呀！”

吸管气疯了，冲到船舷上咬断了缆绳。

“黑玫瑰”开始摇晃。海盗们跌成一团，然后又张皇失措地在甲板上乱窜，企图发起进攻。吸管抓起化妆盒，往脸上涂了些脂粉。

“嗷！嗷！嗷！”桶妈吼叫着，从船上的厨房里拖出一个装满肉饼的锅，“你们不能从我们这里把这个好小伙儿抢走！他是我们的朋友！”于是她开始向猫侦探达芬奇的团队里扔肉饼。

“这又是什么东西呀？”鲁滨逊吓坏了。

“肉饼！”信号灯哥伦布高兴地站到甲板最中间，张开大嘴，闭上眼睛。

“都往这里扔！”桶妈使劲地把锅朝海狼扔过去，然后吩咐，“吸管，快点回舱室去！快到早晨了，一天就要过去了，你的床铺还没准备好呢！”

锅打掉了鲁滨逊的帽子，落到他脑袋上，在那里转圈，发出像铃铛一样的响声。

突然，海盗船甲板中间的一个舱门打开了，松鼠出来了。

“那是布拉卡！”球恰尖声叫道，“我们可怜的小松鼠！他们把她关在黑暗的舱底！”

桶妈对着松鼠喊叫，把她推了回去，然后自己站在舱门盖上。

海盗们野蛮地喊叫着，随手抓着蹄子下的、翅膀下的东西就往对面船上扔。朝猫侦探的船上飞过去的有袜子、小地毯，甚至还有凉鞋。几分钟的工夫，甲板已经像个大洗衣盆，装满了准备洗的东西。

“你们为啥找我们茬，对我们纠缠不放？”吸管喊道，“我们是诚实的海盗，是我们先找到这只老鼠的！”

“你们船上有我们的松鼠布拉卡，把她交给我们！”猫侦探喊，“而那个贼仔，是一个危险的罪犯！”

桶妈用蹄子掐着腰，恶狠狠地哼叫：“你们怎么回事，从月球上掉下来的吗？为纪念什么节日要我给你们送这样的礼物啊？赎金在哪里呢？”

"贵重的宝石又在哪里？在梦魇海上没有遇不到的事！这是梦魇海，休想从这里白白拿到什么！"

在"黑玫瑰"后面出现了一片不祥的乌云。周围暗了下来，响起了可怕的轰隆声，鹦鹉库伦"啪嗒"一声落到甲板上。转眼间真正的暴风雨来了，天空中电闪雷鸣，海浪像疯狗似的冲向大船。

在这一片混乱中，谁也没发现海盗船旁边出现了大量暗礁。梦魇海对桶妈生气了，海水里一下子长出了犬牙交错的暗礁。

请你找到一条正确的路线，帮助猫侦探躲过暗礁追上海盗船。

第十七章
梦魇海的梦魇暗礁

此非神话或造谣，
绝非神话或造谣，
危险究竟为何物，
深藏水下是暗礁！

“暗礁！暗礁就在旁边！我们就要撞上暗礁了！”吸管喊叫着，同时猛地抓起缆绳！

“啊！！！”大家都喊起来。

“卷起高尔夫衫！放下左边的裤子！卷起连裤袜！”桶妈喊道，但为时已晚。

画暴风雨！！！

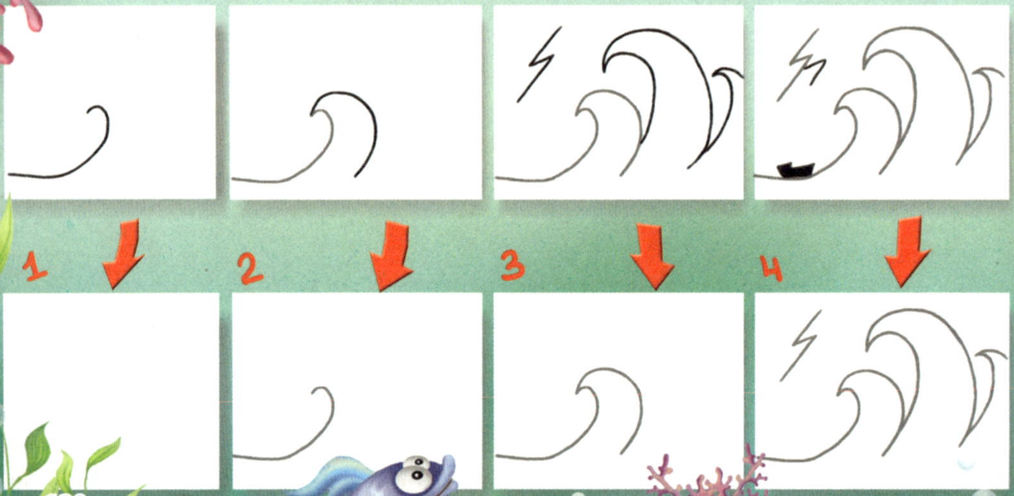

巨大的海浪把“黑玫瑰”抛向暗礁，礁石发出强烈的咔咔巨响穿透海面。“黑玫瑰”像别针一样悬在海上，从船尾开始进水。

海浪一个接一个地拍打着帆船。

猫侦探的帆船灵巧地躲开暗礁，但是船尾与“黑玫瑰”撞了个正着。

“海水发狂了！我们要沉下去了！”桶妈大喊大叫，“吸管，把锅都装起来！你怎么没穿救生背心？你会感冒的！”

“跳到我们船上来吧！”猫侦探大喊，“快点！布拉卡，你在哪里？布拉卡！”

可是谁也没听见他的喊声。动物们抓着船舷和桅杆，试图让船帆撑住。吸管抱起自己心爱的花花草草朝猫侦探扔了过去：“接着！”

木桶在甲板上乱滚，最后撞到船舷上，碎片飞向四面八

方。海盗们一个接一个地开始往达芬奇的船上跳。

吸管在甲板上飞跑，捡起自己蹄子周围的东西往猫侦探达芬奇那边扔，可是一样也没有落到“无畏号”上。

“小可爱，抓住我左边的衣襟！”桶妈抱起贼仔，“抓住，我的紫罗兰，抓紧些！”桶妈眯起她细长的眼睛，估量了一下要跳跃的距离，“准备往对面的帆船上跳！袜子谁都不能给！把缆绳打上结，像我们这个紫色的小朋友那样！”

电闪雷鸣，巨大的海浪冲向桶妈。贼仔从她的蹄子中间滑落下去，海水把他冲向大船的另一侧。

“放了布拉卡！”猫侦探喊。

“你们的布拉卡冲到船舷后面去了！”桶妈喊道，“救救我！”

“啊！”吸管尖叫一声，同时第一个跳过波涛汹涌的深渊。

桶妈和其他船长一样，按照航海约定俗成的规矩，准备最后一个离开即将沉没的大船。她寻找紫色的老鼠，但是没看见他，只好哼哼道：“对不起，亲爱的，命运把我们分开了！”然后就从船上跳了下去。

就在此刻，巨浪把“黑玫瑰”从暗礁中拖走，又以非比寻常的力量把它抛回暗礁中。“砰”的一声巨响！

“他们沉下去了！沉下去了！”达芬奇非常焦急，不停地走来走去。

“我怎么办呐？我不会游泳啊！”贼仔费力地爬到船长

室，声嘶力竭地号叫，“救命啊！”

“抓住！”猫侦探把一个用绳子栓着的救生圈扔过去。海浪摇晃着帆船，救生圈碰到船舷以后，“咕咚”一声掉到了海水里。

贼仔卷起尾巴，喊着：“我的爪子都湿了！我恨海水！救命啊！”突然他无缘无故地跳到船舷外边去了。

“就是不能这样！”桶妈喊道，“救救他！哎，快点呀！大家都帮帮他！！！”

贼仔撕心裂肺地哭叫着，“咕咚”一声掉到海里，立刻像一把斧子那样沉了下去。

“贼仔在那里！他偷了我的书！让他把书还给我！你必须救他！”猫头鹰拽着达芬奇喊

秘密信件

我亲爱的贼仔：

如果大家没跳下救你，我不会微笑，正相反，我会由于失望很不高兴。我舍弃船上的锅、花草和餐具，为了你，我心爱的贼仔能游到岸上，坐在舒适的小船里，摇起船桨，嗅着花香——我送给你的礼物，回忆桶妈妈。保护好自己那颗善良的心，那双美丽的大眼睛和勤劳的爪子，特别是那只蝴蝶结！

道，“快跳下去救他！你不能在这个关键时刻让我的绝世佳作就这样沉入海底！”

猫侦探又拿起一个救生圈扔过去，但是救生圈还是落到离帆船很远的地方。达芬奇把身子弯到船舷外去捞绳子。这时候，海狼做了一件谁也想不到的事，他跳到猫侦探身后，把猫侦探从帆船上一把推了下去。

“你干什么！”老鼠们怒吼。

信号灯哥伦布转过身说：“住嘴！我是老海盗，不允许一帮老鼠对我指手画脚！”

雷声大作，电光下的海狼显得特别可怕。

“哎呀，太恐怖了！他是老海盗！”海浪冲打着帆船，老鼠们抓着缆绳，绝望地尖叫着。

鹦鹉从上面看到这个意外的混乱场面，突然全身抖动了一下，骄傲地把嘴向上抬起说道：“我的时刻到了！”

鹦鹉库伦如同一块石头冲了下去。

这时桶妈抓住了一个救生圈朝贼仔扔过去。贼仔的头被重重地砸了一下，一头栽进了水中，水面上只能看见他的尾巴。后来，他总算抓住了救生圈，把脑袋伸出了水面，拼命地喘气。桶妈抓住救生圈迅速拉缆绳，由于拉得太快，搞得贼仔差点被海浪呛着。最后桶妈把贼仔拽上了船舷。

这时达芬奇正在和海浪顽强地搏斗着。海浪从头到脚拍打着天才，他的爪子勉强能在冰冷的海水里划动。

海浪很快就把猫侦探冲得离帆船越来越远，最后完全从视线中消失了。达芬奇已经精疲力尽，这时突然有东西抓着他，用力拖着他的身子。

“我的时刻到了！”听到鹦鹉的声音，达芬奇高兴得喵喵叫起来，同时用爪子拼命划水。

鹦鹉库伦力气不大，猫侦探的身子始终泡在水里。但是，不管怎么样，他们终于到了岸上。达芬奇平躺在冰冷的沙滩上，失去了知觉。鹦鹉也“扑通”一声跌倒在猫侦探旁边。离他们不远，也就是 500 米处，一个红褐色的动物爬上岸边，同样立刻跌倒，失去了知觉。

第十八章　船上暴动

侦探船长迷失海洋。

高呼贼仔万寿无疆！

现在他是我们新船长！

暴风雨掀起的巨浪在“无畏号”周围持续了好长时间，直到把它冲到岸边搁浅。临近傍晚暴雨停了，落日的余晖映

给每只动物取个名字；

找到两个相同的坏蛋。

照着天边的乌云。

球恰站在船头号啕大哭，不时地往海水里看。

“猫侦探达芬奇！你在哪里呀？”她啜泣着。

桶妈开始拧贼仔的耳朵。贼仔上牙打下牙，差点碰到猪蹄子上，挣脱出来后，尖声叫喊道：

“动物们，都听我的！现在，我是你们的船长！信号灯哥伦布跑步到舵轮旁！鲁滨逊迅速到瞭望岗位上去！所有女性跑步去伙房！我们自己去找猴岛！你们不能违抗猴岛国王的命令！猫头鹰，闭嘴！有谁不听指挥，我亲手收拾他！你们都知道我的手段！”贼仔的尾巴拍得啪啪响，对老鼠们亮出尖牙锐齿，恶狠狠地转动着眼珠子。

桶妈兴致勃勃地观察着贼仔。她团队的所有成员都围在她身边。

甚至海浪都对船上发生的事感兴趣，它们一个接一个地竖立起来，就像狗儿们用后腿站立一样，透过船舷观看船上的情景。

“你们都怎么了，没听见吗？还是忘了哪里是厨房啊？水手们，都得听我的！听着，我是主角！我是老大！”贼仔撇着嘴吓唬那些水手信天翁们，同时又令人厌恶地哼了一声说，“伙房就是厨房，姑娘们！”

“你，贼仔，照我看，是一个胡作非为的动物！”桶妈挺身叉腰直接站在贼仔面前，她撅着嘴巴，气哼哼地说，“我会让你穷得连打十五块补丁的袜子都穿不上！”

桶妈把蹄子伸到贼仔面前。

“抓他！就应该这样对待他！”老鼠们高兴地尖叫着。

水手们哈哈大笑，开始**窃窃私语**。

“唉呀，太不文明了！妈妈，快别这样了！”吸管哼哼地说道，同时整理一下湿透的发型，“这样不好！作为一个女海盗，你竟然毫不掩饰，这样也太没有风度了！”

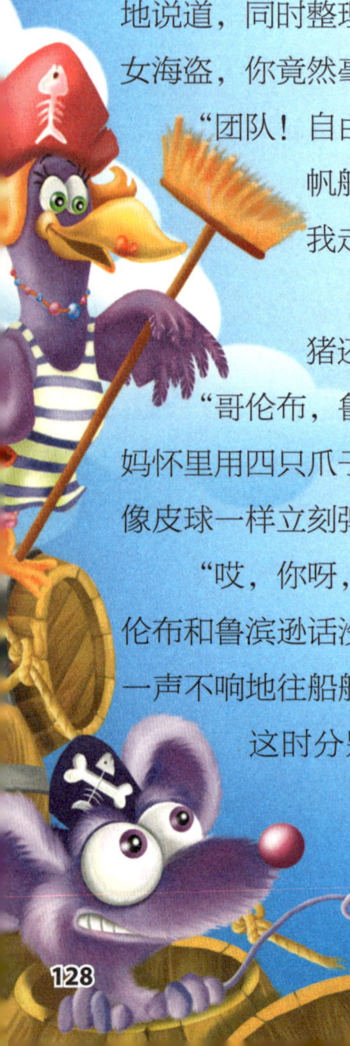

“团队！自由行动！解散！”桶妈大声喊叫，水手们向帆船上的各处跑去。“你，凶狠的小老鼠，跟我走！”

尽管贼仔吱吱叫，又恶狠狠地嘟囔，母野猪还是把他夹在胳膊下弄到了船长室。

“哥伦布，鲁滨逊，到我这来！救救我吧！”贼仔在桶妈怀里用四只爪子连蹬带踹。两个海盗跳到女船长面前，又像皮球一样立刻弹回去了。

“哎，你呀，女海盗！放开我们的船长，否则……”哥伦布和鲁滨逊话没说完就立刻夹着尾巴，卷起耳朵，踮着脚一声不响地往船舷那边退去。

这时分别拿着叉子、大汤勺、小煎锅、扫帚和拖

窃窃私语：指私下里小声交谈。

把的信天翁们把他们两个团团围住。

老海盗一看这些东西的样子就知道都是些令人恐惧的武器，立刻决定把贼仔留给桶妈，任其折磨。

“那边是怎么回事？”桶妈扇动耳朵，摇晃嘴巴，发出可怕的哼哼声。她刚把贼仔放到甲板上，水手们立刻就把他团团围住。“船上暴动了吗？谁把猫侦探扔下船舷的？我痛恨这种卑鄙的行为！我是一个正义的女海盗，懂得知恩图报！你们把自己的船长扔到船舷之外！就连我，一个海盗大魔王，都不能原谅你们！更不用说我的团队了！”桶妈走近这两个浑身发抖的老海盗，直接对着哥伦布的耳朵哼叫起来。

“啊！啊！啊！我耳朵聋了，什么也听不见了！”海狼和宠物鼠鬼哭狼嚎地在船上跑，很快就躲进大木桶里了。

“黑玫瑰”团队三次高呼：“桶妈！桶妈！桶妈！”然后就分散到帆船的各个地方去了。只听到扫帚扫地的唰唰声，餐具碰撞的叮当声，还有缝纫机的响声。

桶妈站了一会儿，哼哼着听着这些忙碌的声音。

大海平静了许多，海浪也没有那么巨大和那么可怕了。不过有时还能听见鸟儿们在什么地方不安地鸣叫。

桶妈冲洗了甲板，然后环顾四周寻找贼仔，但是哪里也没有。

“又丢了！这么一个紫色的小东西，这么一个没有礼貌的小家伙！哼，没事，还没有谁能从桶妈手里逃出去过呢！”

这时，贼仔把几个救生圈扔到船舷外，悄悄地顺着锚链滑下水。哥伦布和鲁滨逊跟在他后面也爬了下去。

“怎么，害怕了？还跟我说你们是老海盗呢！被一个老母野猪吓成这样！”贼仔小声地骂他这两个同行的家伙。

“她太肥太胖了！整个是我们的十五倍！我们能做什么呀？”海狼想为自己辩护。

“可是我们在那么困难的时刻也没抛弃你呀！就拿我来说吧，作为真正的老鼠，曾经想过第一个离开帆船！”鲁滨逊委屈地说道。这时从上边传来了哼哼声，他们几个赶紧闭嘴不说话了。

贼仔跳上救生圈，他旁边飘着几个装有信件的漂流瓶，但是贼仔没注意它们。他知道里面装的是什么，就是猴子们写的邀国王去猴岛的请柬。不过这没什么，很快它们就不写了，因为猴岛国王——贼仔，已经离它们不远了。

平静下来的梦魇海就像安静的游泳池。你不敢相信，就在几小时之前，巨浪还像扔一个小玩具那样，把一艘巨大的帆船任意抛来抛去。

海盗们都在忙着清洗、修理和改进帆船的设备，谁也没发现三只大耳朵的家伙带着救生圈离开了“无畏号”，他们紧张地摆动着尾巴，在海水里拼命地游着。

只有吸管在摇床上悠闲地晃来晃去，摇床挂在帆船的最高处。她睡意朦胧地说道：“我在阳光下悠哉悠哉，三个漂泊者在大海的漩涡里挣扎……这样非常好！”她满意地哼哼着睡着了。

母鸡真理报

快讯！！！

特大新闻！！！

凶恶的海盗制造了暴风雨，想把轰动一时的新闻都冲刷掉！但是，我们的英雄记者从海上给读者们带来了消息！

贼仔找到了！

他躲藏在一艘神秘的帆船里，这艘船有个奇怪的名字“紫罗兰色的紫罗兰”。记者发现贼仔有一个天赋：他能强迫一个膀大腰圆、谁都不认识的女海盗双手抱着他！有照片为证。

母鸡苦大哈

第十九章
神奇的猴子部落

海洋和海盗们已经远远落在后面。

贼仔和他的两个跟班——海狼和宠物鼠已经穿过茂密的热带森林。那里阴暗潮湿，非常可怕。古老的树木嘎吱嘎吱作响，好像在互相转告着有生客到来。

宠物鼠鲁滨逊卷着尾巴哀怨尖叫，好像有什么植物挂在了他身上，连树枝也死死地钩住他不放。

但是，贼仔仍然坚忍前行，拼命挥动着一把长弯刀。他的双眼闪亮发光。周围是成群的白蛉，但是白蛉并没有袭击他们——它们嫌海盗们太脏、太湿，不想吃

这些脏东西。

“这个部落在哪里呀？怎么没有猴子朝自己的国王走过来呢？或者这不是那个岛吧？”贼仔用力拖着一根倒在他脚下的树枝，气喘吁吁地说。树枝很快就被他推到一堆断树枝旁。贼仔继续前行，甚至都没有感觉到有一颗椰子掉到他的旁边，也没发现上方的嫩叶深处有谁正在注视着他。

鲁滨逊大声地抽着鼻子，焦急地走来走去：“现在就要出事了！我有预感！我总是先知先觉！我害怕！有谁要攻击我们！”

“你要是不给我闭嘴，攻击你的就是我！”贼仔气愤地踹了一脚树木，突然大喊，“哎！猴子们！你们都在哪

里呀？现身吧！我找你们找得已经不耐烦了！”

四周传来沙沙的响声和窃窃私语声。

鲁滨逊惊讶地看见所有的猴子都开始从树上往下跳。他们都穿着嫩叶做的裙子，戴着项链。项链很重，把他们各个压得弯腰驼背。

猴子们小心翼翼地围住他们，向前伸出用绿叶包裹着的棍子。

信号灯哥伦布突然把宠物鼠推到自己前面。

“阿布拉—哈布拉！”一个高个子猴子推了一下贼仔的肩膀喊道。猴子语言的意思就是：你是谁呀，奇怪的陌生来客？你到我们的森林里来干什么？这是尊贵的特良姆—特良施卡部落生活的地方，我们是善良和等级森严的群体。

贼仔推开棍子，气哼哼地说：“哎，你干吗推推搡搡的？我是贼仔！我是你们的国王！我来这里是要管理你们的！这两个是我的奴仆——宠物鼠和海狼，或者叫海鼠和海狼。这些都没有任何意义了，因为国王是我。”

“噢！这是我们的国王！”猴子们喊叫起来，个个**笑逐颜开**。一下子看见周围露出这么多牙齿，贼仔有点眼花缭乱。

猴子们跪在地上，爪子伸到前面，祈祷了半个小时，然后抱起贼仔，攀着树枝把他带到了他们部落的居住地。宠物鼠和海狼勉强能跟上他们的速度。他们两个不会爬树，一边嘴里骂着，一边在坑坑洼洼的道路上急忙追赶。

贼仔眯缝着眼睛心满意足地想：“动物城住的都是一些笨蛋！他们根本不明白我是个什么样的贼仔，也不知道应该怎么对待我！我是一个善良可爱的小帅哥！”

“你的每一句话都是真理！”猴子们欢呼着，“你的每一句话都英明！你的每一个动作都漂亮！你是世界上最优秀的国王！你善良！你是紫色的！你是世界上唯一的紫色国王！”

笑逐颜开：形容满面笑容，非常高兴的样子。

穿过了树林，猴子们面前出现了一个木桩围栏。两个凶猛的大猴子守卫紧锁眉头看着贼仔，声音嘶哑地问：“阿呗啦一哈呗啦？”这意思是说：你们用爪子抬着谁呀？他为什么这么脏啊？他是不是敌人呐？他为什么是紫色的？这个动物可能有毒吧？

贼仔不去琢磨这些细节，立刻喊道：“我是你们的国王！”

“国王！”守卫对贼仔敬仰得五体投地，退到一边。

猴子们簇拥着国王朝栅栏里面走去。

这个部落位于一座火山脚下，处于隐蔽地带。用树枝编成的小房子上升起一缕缕青烟。这里到处生长着美不胜收的奇花异草，蝴蝶翩翩飞舞。有一些小房子悬挂在树上，像吊床一样在风中摇摆。在修建得整整齐齐的水池里，金鱼成群结队地在水中畅游。最靠近火山脚下的中央草地上没有其他东西，从远处看就像一个舞台。各种果实和鲜花中间立着一个宝座。

猴子们把贼仔拥上国王的宝座，“扑通”一声都跪倒

在他的周围："噢，我们的国王！噢，梦魇海尊贵的陛下！噢，沙滩的主宰！我们能为您做些什么呢？怎么才能让至高无上的国王龙颜大悦呢？"

贼仔咽下一口唾沫，兴奋地想着要猴子们为他做什么。要知道，他想要的太多了！马上全部都要，还是先要三分之一？不！先要四分之一吧！

贼仔犹豫不决地挥动着爪子，力图打定主意。这时猴子们围在他身边，开始用棕榈树枝给他掸去身上的灰尘，用各种颜色的刷子擦洗他身上的脏物，用梳子麻利地梳理他的毛发。还有一个长尾猴要给自己国王的尾巴打个结。

"不！不！不能动我的结！"贼仔尖叫，"这个结谁也不能动！它像我的记忆一样珍贵。这是我的爱情记忆！"

猴子们给贼仔拿来各种美味佳肴，贼仔甚至不知道都叫什么名字。他只是高兴地吧嗒嘴，品尝各种美味，直到酒足饭饱，撑到嗓子眼才停止。猴子们感动得一直鼓掌。贼仔开始接收礼物。猴子们给他拿来各种贵重的东西：一些海盗埋藏的宝物、珍贵的宝石、鳄鱼牙齿做的装饰品、几个空木桶，以及一个暴风雨后被冲到岸上的古老的红色箱子，箱子里装满各种物品。贼仔都看过了，做了评估并过了秤。

“太少！”他任性地说，同时看着一批又一批的新礼物。

猴子们尽最大的努力讨贼仔欢心。猕猴敲起了鼓，长尾猴给国王表演杂技，一会儿跳舞，一会儿跳高。

贼仔从来没有这么幸福过。

“嗯，好了！”贼仔酒足饭饱，休息后说道，“我是你们的国王！从今天开始你们就要不分昼夜地给我寻找黄金和宝石。据我所知，这个岛上

遍地都是金银财宝。”

“节日取消！只允许偶尔哭泣！不许笑！现在你们只能在岛上搜寻财宝！如果见到什么动物，都给我带到这里来！都要五花大绑！有只猫在追捕我，虽然他已经从船上跌进海里了，但是这个厚颜无耻的猫侦探随时都可能出现在这里！我们第一个要对付的就是他！我早就想收拾他，和他清算他给我带来的不幸和灾难！”

“阿呗啦—哈呗啦！”猴子们尖叫着朝大门外扑过去。他们太爱他们的国王了，为完成他的指示而万死不辞！

“难道我不是真正伟大吗？”贼仔自问自答，“是的，我是真正的国王！”

“是的，贼仔，你现在是国王，可是你向我们承诺的财宝在哪里呢？金山又在哪里？钱呢？”信号灯哥伦布张牙舞爪地问道。他摘掉帽子，迅速地从里面拿出一把弯刀冲向贼仔。

“现在要打架吗？我怕打架！我不参加！”宠物鼠鲁滨逊跳起来，皱着眉头，在自己的胸前挥动着爪子。

“救命啊！”贼仔声音嘶哑地喊道，朝宝座那边跑。

忽然，大门敞开了。猴子们高喊着跑回来，爪子里抓着一个红褐色的动物。信号灯哥伦布把刀藏起来，嘴里嘟囔着：“我开个玩笑，这只是我幽默的方式……”

“哼，你是个叛徒！”贼仔尖声喊道。可是，这时信号灯哥伦布已经消失得无影无踪，就好像他从来不曾出现过。

“快看！松鼠布拉卡！猴子们把松鼠布拉卡带回来了！”宠物鼠兴奋地喊，“我还以为她淹死了呢。”

“猴子们真棒！”贼仔非常高兴，“现在我们能威胁猫侦探了！此刻我有话要说。都坐下，倾听你们国王的演讲！”

第二十章
我们救你，布拉卡！

暴风雨后猫方醒，
美景如故，
风雨于猫谓何物？
猫尾晾后蓬松干爽！
聪明才智一如既往！

明媚的晨光照醒了猫侦探达芬奇。他正躺在柔软的沙滩上。沙子金光闪闪，好似黄金铺就一般。

达芬奇观察后确认，这是真正的金沙，是猴岛的黄金沙滩！这美丽景色令天才的英雄赞叹不已。钻石山五光十色，在阳光下闪耀着彩虹般的光芒。一条小河从碧绿的森林里流出，清澈的河水潺潺流淌，河底的宝石清晰可见。

有些动物在远处沙滩上奔跑。

“看，那是猫侦探！我看见了！”传来一声尖细的叫喊。

老鼠们后面跟着真尼，还有筐里的莎娃和猫头鹰都向猫

侦探跑过来。

“达芬奇，你还活着啊？”球恰带着哭腔问道。

“是的，还活着呢！是鹦鹉救了我的命！”

“太好了，我们终于找到你了！”

“发生了什么事？我是怎么从船上掉下去的？”

“是信号灯哥伦布把你推下去的，他原来是个海盗。”布布沙小声说，“如果没有桶妈，贼仔就把我们的帆船霸占了。”

“桶妈？难道她和贼仔不是一伙的吗？”

“不是，桶妈很棒！她对贼仔哼哼喊叫！”

“她现在在哪里？”

“她找贼仔去了。不管怎么说，她挺喜欢贼仔，要认他为干儿子。”

猫头鹰不满地哎哟一声，在沙子上跺着脚说：“认干儿子有什么用？有时间读读书多好！”

球恰大声叫起来：“我们都以为贼仔淹死了，但是史木茨在沙滩上发现了一些脚印。他告诉我们说，这是鲁滨逊、信号灯哥伦布和贼仔的足迹。”

“总体来说，这个史木茨非常没有教养。刚刚猜到猴子们可能住在这里，他马上抓起一箱吊带往森林里跑。好像猴子们多么需要他的吊带似的！”猫头鹰插话说。

“史木茨还看到松鼠的足迹！”

“你快闭嘴吧！”猫头鹰喊，“你没看见侦探不太舒服吗？让他先彻底清醒过来，然后找到我的书，再办这些乱七八糟的小事情。”

“好侦探，你落水以后，我们都吓坏了！我们想随你一起跳下去，可是贼仔干扰了我们！以后可别再失踪了！我们没有你不行啊！”

“啊！啊！啊！好像有谁向我们扔东西！”猫头鹰坐在沙滩上，把翅膀举到头顶，闭上了眼睛。

“快卧倒！这是贼仔向我们扔东西！”老鼠们围着猫侦探跑，想躲到沙子里面。

达芬奇正准备跳起来抓住那个在头顶上盘旋的奇怪动物，突然高兴地喊道：“别害怕！这是我们的朋友，鹦鹉库伦！”

“我找到了从船舷上掉下去的所有朋友，

不，这不是泡沫！猜猜这是什么？

我是真正的拯救者！”鹦鹉转圈飞舞着说。

“松鼠在哪里呀？”

“他们目前在特良姆一特良施卡猴子部落。布拉卡和史木茨被俘虏了，被囚禁在树枝编成的笼子里！贼仔坐上了国王的宝座。我本可以救出布拉卡，可是那帮猴子扔椰子打我！”

“我们现在怎么解救布拉卡呢？我们没有武器，能参加战斗的人员又少，而猴子很多，他们用棍棒和椰子把自己武装到了牙齿。他们又都臣服于贼仔！”

“猴子们居住在岛屿中心，就在火山脚下，你们朝火山方向走就能找到他们部落的居住地。”

猫侦探抬起头，眯起眼睛看着库伦。

“明白了，朋友！既然贼仔找到了欺骗猴子们的方法，我们也能找到欺骗贼仔的方法。他目前还一事无成，他没有一件事能做到有始有终。当坏蛋没有什么意思，甚至也没什么好处。我已经想好了一个主意！鹦鹉，你给我们画一下猴子部落的位置图！”

鹦鹉画了一个圆圈，圆圈外又画圆圈，一共画了六个圆圈。

“这是什么意思？泡沫？水里的漩涡？”

“很像，这是鹦鹉眼里的圆圈！”猫头鹰气愤地说，“脑袋被太阳烤焦了，才能画出像太阳一样的圈圈来！”

库伦挥动着翅膀说：“你们怎么什么都不懂呀！这画得多清楚啊！这是火山，火山周围

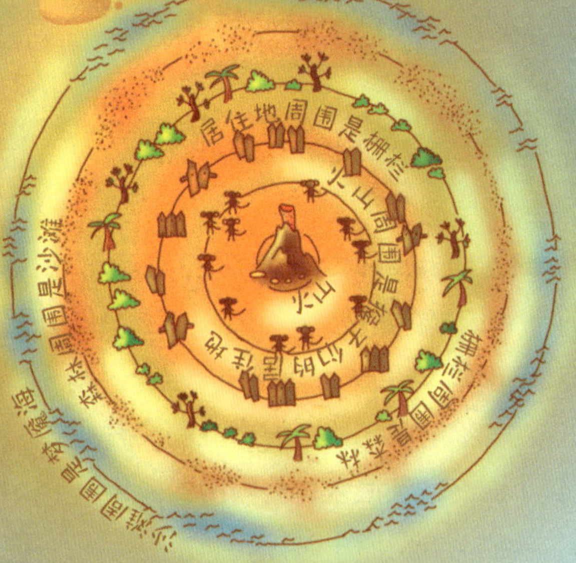

是住房，住房周围是栅栏，栅栏周围是森林，森林周围是沙滩，沙滩周围是大海。都非常简单！大海已经被我们征服了，沙滩和森林很容易通过，栅栏那里有两个可怕的守卫，不过他们一天到晚不是挠痒痒，就是闲聊。”

“好样的！”猫侦探夸奖鹦鹉，“在你画图时，我想出了一个救出布拉卡的天才计划！”

“还有我的书！”猫头鹰说。

动物们围在自己船长的周围，开始聆听猫侦探的计划。球恰忍不住尖叫了一声。

“我计划的第一步是制服那两个守卫。”猫侦探小声说，“为此，要使用我们行军包里的紫色颜料。除了鹦鹉，谁更像贼仔？”

大家都看着老鼠皮克，他捂着脑袋往后退。

“是的，你最像贼仔，因为他也是这样的身高！”球恰鼓励皮克说道。

“把我们的英雄老鼠化装成贼仔，让他去和守卫们说，叫他们到某个地方去，晚上之前不要回来。他们看见是国王当面下令，肯定服从。这样我们就可以顺利进入大门了。”

“他们会立刻明白是怎么回事的，因为皮克的声音太轻太小！”

“这个细节我也想到了。贼仔的声音由鹦鹉模仿。我们都化装成水果，躲藏在树上。我会提醒鹦鹉说什么，他就学贼仔的嗓音命令两个守卫，皮克对口型就可以了。现在我们就开始化装。鹦鹉化装成椰子，我化装成菠萝，真尼化装成香蕉，苦大哈化装成芒果，球球和布布沙化装成海枣。乌龟莎娃如果也想参加，就化装成石头，他装扮这个非常成功。”

“我装什么呀？”猫头鹰哈哈大笑着问道。

“你就是一个胖海枣。”

“你才是海枣，我是稀有水果！”猫头鹰想说话，可是变得嘟嘟囔囔了。

母鸡真理报

猫侦探终归是真正的天才！

他非常迅速地想出了一个方案，以消除坏蛋贼仔的危害。为保密起见，此方案不宜公布。但是，我只告知《母鸡真理报》的读者：鹦鹉不是傻瓜！

你们的总是不及时报道的

母鸡苦大哈

第二十一章
我是一把手！

当了国王的贼仔滥用权力，任性地折磨猴子们：一会儿要野果，一会儿要水果，一会儿要求给他扇扇子，一会儿又要吹掉他身上的灰尘。猴子们疲于奔命。贼仔禁止他们高兴、微笑、唱歌和跳舞，总之，禁止他们做自己喜欢做的和赖以生存的一切事情。

贼仔制止住吵闹：“我一直幻想成为演员并当众演讲！我不喜欢唱歌，不想学习作诗。我怎么才能啥也不干就能出口成章，又能赢得热烈的掌声呢？”

"不要再欺负猴子们了！"布拉卡喊道。

她和史木茨一起被关在一个大笼子里。

"住嘴，俘虏！"贼仔喊道，"哦，想出主意了！我给你们讲述我最悲惨和最可怕的生活片段！你们都要为之感叹并表示同情！"

猴子们都安静地围坐在他身旁，不知如何是好。只有鲁滨逊高兴地说："我会同情你，我最会表示同情！一同情就打喷嚏，不停地打喷嚏！当我对着什么打喷嚏时，就是我在表示同情！"

贼仔咬咬牙开始讲述："我的生活既痛苦又恐怖！大家都欺负我！"

"阿嚏！"鲁滨逊立刻开始打喷嚏，钻到了贼仔尾巴底下。

“小老鼠们都忘记我是他们的叔叔了！”国王推开宠物鼠，“猫头鹰写一些侮辱我的书籍！最能欺负我的是阿猫达芬奇！他强迫我把名画《蟒莽的微笑》还给博物馆！可是我非常喜欢艺术品呀！他往我家里派密探探听我的消息！不给我财宝库的地址图！他经常揭穿我的行为，不让我做我想做的事！他还编了不少关于我的段子！知道吗，我是多么委屈呀！我可是国王啊！”

“噢！你是国王！”猴子们悲切地回答道。

贼仔把爪子弯向后面，抱怨着，甚至还悲伤地抽鼻子发出哭泣声。

“谁也没欺负你，是你总想欺骗大家！”松鼠插话说。

“别凶他！他有可能选择我的吊带！”史木茨小声说，“猴子们很快就会厌烦他的愚蠢表现，那时我就用商品吸引猴子们的注意。”

“闭嘴！”贼仔喊，“我是一把手！我是国王！我是超级明星！这些猴子都是我的奴仆，我可以命令他们做任何事

情！看吧，我现在就下命令，他们就得去做！你们看着！猴子们，你们都离开这个岛！现在我要住在这里！”

猴子们哭泣着从坐的地方站起来，开始相互拥抱，和自己亲爱的部落告别。

“你怎么能把善良的猴子们赶出自己的家园呢！”布拉卡扑到笼子的横杆上说，“你的行为很卑鄙！”

“叫他们快走吧！我看够了猴子们的嘴脸！可能我是想独自在这里待着！”贼仔大声喊叫。

“再见，亲爱的部落！别了，亲爱的火山！再见，我们的国王！我们祝愿您万事如意……”猴子们小声说道。

贼仔走到笼子跟前，用王冠敲打着笼子。

“怎么样，松鼠，说够了没有？我现在开始折磨你，再也没有猴子干扰我了！”

此时，大门口发生了不可思议的事情。

第二十二章　策划

大家都仰望我们，
芒果、海枣、菠萝，
都长到一棵树上，
很明显，不可信！

有时大自然会出现一些无法解释的现象。敏感的动物称其为魔力，而聪明的动物则称其为大自然的异象。

这些现象到底叫什么，谁也不知道。

猴子居所附近一棵干枯的猴面包树突然长出了七个果

实，它们长在一根最结实的树枝上。和以往不同，果实不是悬垂着，而是成堆挤在树枝上，还不时交换位置。只有一个海枣不知道为什么长在一个有纹路的石头旁的树根里。

依稀可以听到猴子们在栅栏里的说话声。特良姆—特良施卡部落大门旁猴面包树的树荫下，两个守卫懒洋洋地躺在那里。他们打着哈欠，懒散地挠着痒痒，完全没有发现那棵干枯的猴面包树上有异样——菠萝伸出了一只红褐色的爪子，它正在敲打那个椰子；椰子抖动了一下，差点儿掉到那个大胖海枣上。

“到时间了！”勉强可以听见菠萝的嘘声。

“怎么都躺着？为什么啥也不干？和国王说话都要站起来！”椰子用贼仔的声音大声吼叫。

两个守卫吓得一下子跳起来，跳得很高，差点把水果从树上撞下来，然后开始四处张望。

附近什么也没有。

这时，他们惊奇地发现，从灌木丛里走出一个古怪的东西，远看很像一只大老鼠。

老鼠的毛是粘上的，紫色的几绺毛耷拉在两侧，还散发着染料的味道。头上是香蕉做的王冠，身上是树叶做的礼服，胸前挂的牌子上写着：贼仔——真正的国王。

老鼠后面拖着一根长藤条，在端头还打了一个结。

“阿呗啦—哈呗啦？”两个猴子惊恐地说。

老鼠张嘴，闭嘴，又张嘴，但是声音没跟上。

“你好，戴香蕉王冠的脱毛小动物！你到我们部落门前有何贵干？你为什么看起来这么丑陋？”猴子守卫用动物的语言齐声说。

这个奇怪的动物抬头向上面看了一眼。守卫也向上面看去，但是没发现什么可疑的东西。

“我是你们的国王贼仔！过来检查你们是怎么捍卫我国王的权力的！”从猴面包树那边传来声音。

两个守卫看看老鼠，又看看天空，还是没搞明白是怎么回事。

皮克张开嘴，装腔作势地冒充贼仔说：“我是你们的国王贼仔！相信我！”

“那怎么一点儿都不像呢？”

“噗！”皮克吓得哆哆嗦嗦地说。

鹦鹉急得忘记了所有安排，开始用鹦鹉语言吼叫起来：“我是国王！我想像自己就像自己，不想像自己就不像！用不着你们说！”

都不出声了。这时椰子直接从猴面包树上掉到一个守卫的头上，守卫被砸得跌倒在草地上。椰子往守卫跟前跳了一下，结果被大胖海枣踢了一下，展开翅膀飞走了。

“阿呗啦—哈呗啦！”守卫还在喋喋不休。

“猴子们发生了可怕的灾难！”从猴面包树上传来了另外一个说话声，还带有浓重的猫口音，“我是国王贼仔，你们赶快把大门打开，让我和随行的朋友进去！你们必须执行我的命令！”

“我们现在就是在执行命令！国王曾吩咐我们谁也不能放进去，所以我们谁也不放。”

“什么！连我也不放进去吗？”

“是的，谁也不放进去！你也不放，你的声音不像国王，不放你进去，声音不像！”跌倒的那个守卫强调说。他坐在草地上，开始挠他那个傻乎乎的脑袋，“我们执行所有的命令至死不渝，这个命令结束后再执行新的命令！”

皮克用爪子敲打自己的脑袋，想不出什么主意，这时上面又传来了声音。

椰子凌空天上飞，羽翼丰满喙如锥。
犹如鹦鹉同模样！我们不解它怎飞！

“猴子们，好样的！能这样**恪尽职守**，理当论功行赏！但是现在任务复杂了，你们不仅要挡住大门不许外人出入，还要守住猴岛，禁止外人出入。因此，你们拿起棍子到海岸那边看守猴岛去！明白吗？”

“现在明白了！”新的复杂任务令两个猴子兴奋不已，他们赶紧向森林跑去。

“成功了！成功了！”香蕉国王跳起来，然后坐到栅栏旁的小树枝上。

可是他高兴得太早了。大胖海枣大叫一声从旁边跳过来，挥动着翅膀对着香蕉国王大喊：“你差点儿把事情都搞

恪（kè）尽职守：谨慎认真地做好本职工作，严守自己的工作岗位。

砸了！你想什么呢？”

“别出声！”菠萝从猴面包树上跳下来，“是的，整个过程并非一点儿瑕疵也没有，但重要的是我们要做的都做到了，通往猴子们住所的道路打通了！”

动物们脱掉身上的伪装向大门走去。走到大门跟前才发现门很大，很难攀登。表皮有些脱落的原木大门用黄金链条紧紧锁着，耸入云霄。

“我们怎么翻过去呀？”球恰尖声说道。

大门上既没有把手，又没有拉环。

“不要担心，我的朋友们，有我和你们在一起，就意味着问题不是问题，灾难不是灾难！既然守卫天天开大门，那么我们也能开。现在需要找到大门开关。”

“哎哟，我好像就坐在它上面！”皮克满脸通红地从树枝上跳起来。

猫侦探拉动开关，大门慢慢地开了。

母鸡真理报

谁都可以成为水果！

你需要选对颜色，选择腔调，并找到一棵多杈老树。让自己成熟起来吧！

亲自当过菠萝的
母鸡苦大哈

第二十三章　交战

贼仔看着痛哭流涕的猴子们，不禁开怀大笑。

“不要赶走可怜的猴子们！”松鼠恳求说，“他们无处可去！”

“这是我的猴子们！我想赶走就赶走，想让他们回来就让他们回来。他们多听我的话呀，你没看见吗？”

特良姆—特良施卡部落的猴子们啜泣着走到了大门口，突然停下了。“快点滚出去！我看够了你们那些丑陋的尾巴！”贼仔喊着喊着，呆住不动了。

猫侦探和他的英勇团队站在大门口。

猫侦探挥舞着用棕榈叶子做的旗帜：“猴子们，听我说！你们不必离岛！贼仔是个骗子！他不是什么国王！他是一个凶恶的罪犯！所有正义的动物都在寻找他呢！”

猴子们都瞠目结舌地站住了。

“这又是谁来啦？”贼仔扯着嗓子大声喊道。

“噢，阿猫啊，你好！这里就差你了！这些猴子都是我的，他们只听我指挥！我想干什么，就命令他们干，我是他们的国王！”

猫侦探摇着头，对猴子们说道：“不对，不是这么回事！贼仔不是国王，是一个坏蛋！我们到这里是来救你们的。你们不要听他的，也不要离开猴岛！”

猴子们迷惑不解，不知道如何是好。

“篡夺王权的坏蛋！”贼仔狂暴起来，“我现在就给你们点颜色看！我现在就收拾你们！你们马上就知道我有多厉害了！哎，海盗们，你们躲到哪里去了？快来帮助你们的船长呀！”

贼仔从宝座上跳下来，开始向猫侦探扔椰子。可是，他的爪子和他的尾巴一样，都是弯曲的，因此一个也没砸中猫侦探，反而砸到了猴子们。

惊吓过度的猴子们又蹦又跳，闹得贼仔头晕脑胀。

信号灯哥伦布从宝座底下跳出来，拎着鲁滨逊的脖子。

“打他们！”海狼把宠物鼠抛向猫头鹰，自己则扑向椋鸟。

椋鸟真尼眼见危险来临，就想快点儿躲到一边去，但是由于他的脚到现在还走不稳，“扑通”一声跌倒在海狼身上。海狼头上被鸟嘴啄了一口就倒在宠物鼠身上了。宠物鼠紧锁眉头，挥动爪子，正准备遇到谁就和谁打一架呢。宠物鼠尖叫一声，狠狠地挠了一把海狼的耳朵，然后他俩同时消失在大帽子底下了。

真尼高兴地在帽子上跳跃着：“现在你们知道了吧！攻击明星是怎样的下场！”

“好侦探！我们在这里！救我们！”松鼠喊着。

“哎，猴子们，别跳了！听我的！我是你们的国王！”贼仔吱吱叫着，向他们扔香蕉和海枣。

“为什么你是国王？”猫头鹰愤怒了，“哎，猴子们，

不要听他说谎！相信我！我是你们的女王！”

猴子们不跳了，像冰雹似的一个接一个地落到地上了。

“你是我们的女王？”猴子们张开嘴，脸上露出蠢笨的表情，仔细地打量着乌古哈。

“是我！”乌古哈肯定地说，“绝对是我！我要编制一个占星图，教会你们按阴历生活。”

贼仔摇着头，不明白发生了什么事。

“噢，我们的女王！”特良姆—特良施卡部落的全体成员跪倒在地。

“你们背叛我！叛变了！”贼仔咆哮着，“猴子们，你们怎么把我忘记了？我是你们的国王！你们的贼仔，可爱的小帅哥呀！”

但是，猴子们像中了魔法似的，都跑到乌古哈身边，抚摸着她的爪子。

“我们的女王！我们的女神！”他们小声念叨着。

“而我，是你们的王子！”史木茨喊道。

“噢，王子！”整个部落都兴奋起来。

贼仔焦急地在笼子旁边走来走去，不想让任何动物走近，可是当猫侦探朝他跑过来时，他立刻就往远处逃跑了。

猫侦探拉开笼栓，猴子们点头哈腰地请史木茨出来。猫侦探帮助布拉卡走出了笼子。

“哦，好侦探！我知道你会来救我的！”松鼠激动地说，一边揉搓着已经浮肿的爪子。

猫侦探达芬奇的家庭作业

画凶险的鲨鱼

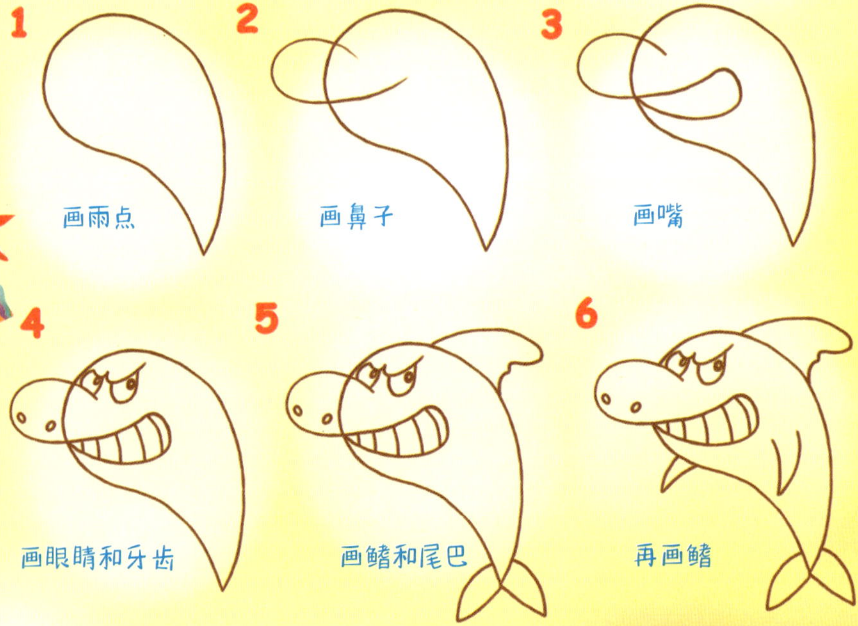

画画我！

“那我们呢？我们什么都没有吗？”信号灯哥伦布冲着宠物鼠不停地眨巴眼睛，“我想这是一场游戏，名字就叫‘谁打谁更有趣’。”

“我们就只是这样！”旁边的宠物鼠鲁滨逊慌乱起来。

“永远都是这样！谁都不可信赖！不过没什么，在这次的事件中我留了一手。你们马上就会明白，你们低估了我贼仔！你们马上就会知道，我曾经是一个多么好的国王！”贼仔快速地往火山上爬。爬到最顶上以后，他声嘶力竭地喊道：

“哎，那里的动物们！快离开我的猴子们，快投降做俘虏吧，否则我拔出火山口的塞子，你们都将淹没在岩浆里！”

“那你自己也死定了！”

“不会的！我爬到塞子上面游到海里去！”

猫侦探达芬奇沿着斜坡往火山上奔跑：“住手！不能这么做！”

猴子们倒在猫头鹰旁边痛苦地哭泣。他们更多的是为自己善良的新女王感到惋惜！多么伟大的鸟儿啊！天才作品的创作者！

“再也看不到占星图和阴历日历了！”长尾猴们在自己生命的最后时刻大声痛哭。

贼仔用力拔着火山塞子，大地在颤抖。就在猫侦探离贼仔越来越近的时候，他爪子下面的石头突然崩裂，猫侦探飞速翻滚着从火山上跌落下去。

“哈！哈！哈！”贼仔高兴地哈哈大笑，同时开始数数，“一、二……”

猫侦探抓着凸起的石头，用力往上跳。但是，他离得实在是太远，现在怎么也来不及了！

蒸气柱带着哨音从塞子底下冒上来，动物们都紧锁眉头。

“我还没来得及写自己最重要的畅销书呢！”猫头鹰哎哟哎哟地感叹着，“这也太不公平了！我还想拍一部动画片！我还要嫁给真尼！不，不对，这个正好是我不想做的！”

“二点五……”贼仔喊着。

“四！”突然响起熟悉的超低音。桶妈不知道怎么就出现在贼仔的身后，用蹄子把塞子按下去了。

“怎么样，小朋友，被我抓住了吧？”她高兴地哼哼着，用蹄子轻轻地拍打几下贼仔的头顶，“谁也别想从我手里跑掉！我要是爱上了谁，那就是永远不变！”

母鸡真理报

发现了一个完全没有文化的猴子部落！他们不识字，在生活中从来没见过《母鸡真理报》这样优秀的出版物。

按着我的小鸡布罗依列尔的说法，谁不读《母鸡真理报》，谁就是猴子。

编辑部对天真的羽毛未丰满的小鸡的话不承担责任。

母鸡苦大哈

从兜里拿出老虎钳，
从火山上拔出塞子，

想让我们大家都一起毁灭，
用熔岩把猴岛淹没。

别犯糊涂，傻老鼠，
那是火山，想想你自己往哪里坐！

第二十四章
请原谅诚实的海盗

我不生桶妈的气，
感恩戴德尚不及！
请她原谅对不起，
吃饱喝足再离去！

桶妈用蹄子把一直挣扎的贼仔从山上拉下来。

贼仔怒不可遏，像一壶沸腾的开水，吱哇乱叫：

“放开我，母野猪！放开，我咬你！”

“你要不珍惜自己的牙齿就咬吧！我的蹄子连鲨鱼都咬不破。”桶妈说着把坏蛋扔进了笼子。

“乌拉！”大家一起欢呼，“遇到对手了！”

“喂，贼仔，是时候了，你应该把这一切都给我们说清楚！”猫侦探说，“你为什么劫持布拉卡？为什么偷走猫头鹰的书？还有，你航海用的船藏到哪里去了？”

“我不说！”贼仔转过身大声吼叫，“我有自己的尊严！”

“要是这样的话，你只好在这个笼子里度过你的后半生了！”猫侦探威胁他说。

“那还是算了吧！”贼仔立刻醒悟了，“不过这都不是我的错，是他们强迫我的！应该把他们关进笼子里！”他用爪子指着信号灯哥伦布和宠物鼠鲁滨逊，这两个家伙正悄悄地往大门口走。

“哎，你们想去哪里？”达芬奇追过去。

信号灯哥伦布举起瘦弱的爪子站住了，宠物鼠鲁滨逊撞到了他的后背上。

“贼仔在骗你们！这都是他的主意，他说要把猫侦探引诱到岛上来！”海狼嘟嘟囔囔地说，还三次回头往笼子那边看。

贼仔气愤地扑向笼子里的横梁：“松鼠是自己要追随我们的，书是我们在森林里捡到的，而猫侦探是自己游过来的！这里没我什么事！”

“贼仔，别再辩解了，实话实说吧！你为什么要把我们引诱到这个岛上来？”猫侦探紧皱眉头，严厉地看着那两个海盗。

宠物鼠鲁滨逊再也坚持不住了，拼命地大声喊道：“阿嚏！按你们的想法，我们是怎么到这个岛上的？阿嚏！阿嚏！我们不是傻瓜，孤苦伶仃地游在梦魇海上干什么？”

“是这样的，”信号灯哥伦布确认，“通心粉状的狭窄盆地好像从来没有动物征服过！若不是你的天才大脑，我们什么时候也到不了这里。别说海里还有很多恐怖的妖怪，就连八爪怪我们都绕不过去！更不用说那个方形乌贼了！只有你达芬奇才能抵达这里！贼仔也是利用了这一点。”

猫侦探说：“第二艘船在哪里？松鼠是怎么到了海盗船上的？”

“在哪里，哪里……根本就没有第二艘船！是我们想象出来的！”信号灯哥伦布沉重地喘了一口气，转过脸去不再看贼仔。“贼仔想要劫持松鼠并偷盗动物城里所有的贵重物品，然后对你说他乘船在海上航行。而实际上只是他把那只小船挂在我们的帆船后面而已。”

“阿嚏！要不是桶妈打乱了我们所有的航行计划，我们早就平安抵达猴岛了！”鲁滨逊补充说，胡须神经质地抖动着。

球恰拍了一下自己的脑门说：“怪不得海狼不让任何动物看船尾！要知道，我看见了那条小船和贼仔！这根本就不是什么幻觉！而是真实的！”

“看见没有？球恰，他们是这样欺骗你的！”贼仔突然发话，“他们比我要坏一百倍！把他

们关进笼子里！把我放出来，我要吃东西！”

吸管激动地哼哼起来。

信号灯哥伦布摘掉帽子，大家都看见他头上有一圈秃顶。鲁滨逊则大声地往海魂衫里擤鼻涕。

“请原谅我们！我们是穷苦的海盗，我们没有家园，没有朋友和幸福！有的只是陈旧的伤疤、疼痛的牙齿和上千条的航海禁令！我们也想生活在你们那样美好的城市里，栽花种草。毕竟，这顶帽子不是真正的花坛！”

但是，达芬奇只是摇头：“现在，先把所有偷盗的东西拿出来。猫头鹰的书在哪里？这个手稿可是无价之宝啊！”

桶妈突然用一只蹄子碰了一下自己的脑门，哼哼地说道：“你是不是问在贼仔待过的那条小船上找到的那些漂亮的书啊？我还在那里看见一个可笑的书名——《猫侦探达芬奇　强盗入侵》。多么愚蠢的书名呀！这本书应该叫《鲸鱼达芬奇　桶妈在宇宙》！这个好！漂亮！是吧，吸管？”

“我认为，最好是《鲸鱼维尔卡　小吸管的饮食》！这个既甜美，又具有诱惑力！这样的书我一定会读的！”吸管在椰子树的树荫下回答说，说完她继续用小

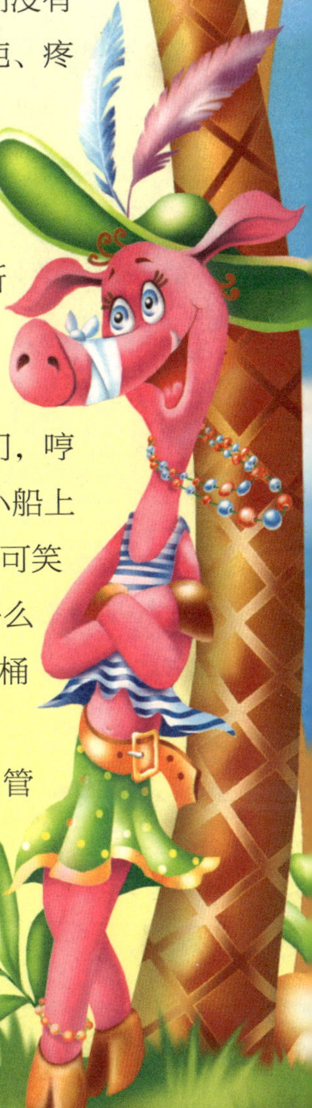

锉刀修理她的小蹄子。

“我自己决定我的作品叫什么名字！”乌古哈听完后**勃然大怒**。

“你怎么想就怎么叫吧！说实在的，叫什么都无所谓。”

猫头鹰像寒风中的麻雀一样，羽毛都竖起来了，她跳到桶妈跟前说：“关于这件事你还想说什么？我的书在哪里？”

“什么哪里？在海底！船沉了，我们那个漂亮的红箱子也和船一起沉入海底了。”

“是不是猴子们送给贼仔的那个箱子？那是狂风过后他们在岸边捡到的。”

“闭嘴！”贼仔尖叫起来。

猴子们冲到宝座前，从堆积如山的水果中拖出一个磨损的旧铁皮箱子。

“找到了！吸管，快看！我们那个珍贵的小宝物！”桶妈高兴极了，从项链底下拿出一把大钥匙，打开了箱盖。

箱子里什么都有！乌古哈的书、宝石及纸币混放在一起，还有史木茨的吊带、莎娃的龟甲、阿加西的筐和其他贼仔偷去的东西。可是还有一样东西没看见，那就是真尼的钢琴。

猫侦探拿起书本，郑重地递给乌古哈。书本由于潮湿有些发胀，书页都成了波浪状，但

勃然大怒：指突然生气，变脸大发脾气。

是看起来仍然是那么可亲可爱！

猫头鹰把嘴埋在书里号啕大哭：“这就是我的杰作！现在动物们可以了解强盗入侵的真相了！”

史木茨挥舞着吊带，在大家面前跳起舞来。

“我的钢琴呢？”真尼用翅膀捂着肚子。

桶妈不情愿地嘟囔道：“箱子装不下钢琴，我立马就把它扔海里去了。怎么，照你的想法，我还要玩钢琴键盘吗？用蹄子弹呀？”

真尼把翅膀别到身后，翻着白眼说：“我现在怎么唱歌呀？我该怎么办？我感到自己的心跳加快！”

善良的猴子们十分理解他的苦衷，把他们所有的乐器都拖出来。

真尼面前的乐器堆成山：金杯鼓、大鼓、铃铛、木笛……还有一些疑似能弄出响声的乐器。真尼兴高采烈地说：“噢，奇迹！亲爱的善良的动物们！你们让我获得了新生！这些乐器够组成一个乐队了。”

“好了，我们现在把所有的事都搞清楚了，可以出发返回家园了！猴子们，你们现在是自由居民，可以自己选择国王，要选择善良和公正的！当然，如果猫头鹰决定不留下来和你们在一起的话。我们把贼仔带回动物城，对他进行再教育，让他改邪归正。”

“不要这样！请原谅我！”贼仔悲戚地说，“我再也不会这样了！我是一个善良的好动物，就是因为我心情不好，什么事也没做成过。如何用其他方法取得成功我还不知道。猫头鹰，我想到你的出版社工作。我向你保证，我每天都报到，像牛一样给你干活……”

“一开始都会这样说！”猫头鹰打断他的话，“以后就像田野里的风一样，影都找不到。我看最好招聘猴子们，他们喜欢我。”

“把我们带走吧！”猴子们大声喊叫着，“我们会从早到晚唱歌、编花环和在篝火旁跳圆圈舞！如果你想的话，可以一直跳到深夜。”

“夜里还要继续呀！算了吧！我不需要这样！”乌古哈不满地说，一边抖动着爪子，“还是各过各的吧！你们就在自己的岛上待着吧！我认真地出版我的文学作品、美容、照相……”

“阴历日历……”布布沙插话说。

“还有月球占星图、星星地图和太阳镜。”球恰确认道。

“都是些什么蠢话？我从来没说过我要生产太阳镜！”

“把贼仔交给我吧！”桶妈哼哼地说，“我不想继续当海盗了！我和吸管早就梦想建一座小房子，过平静的

右边有三只尾巴非常长的猴子，它们的尾巴缠到了一起，请你找出来这三只猴子的尾巴。

生活。我们已经没有船了，带我们去动物城吧！我们有做诚实动物的愿望，而且我正好需要一个干儿子。可是他的名字叫贼仔不太好听！”

“好吧，”猫侦探同意，“我们带你们回去，你们要对贼仔进行再教育。但是，为了以防万一，你们要经常告诉我们进展情况。如果有什么问题，我们会过去帮助你们。”

“千万别再还给我们了！”猫头鹰喊道。

桶妈把贼仔从笼子里拽出来，把他按在自己身边。

“太好了！你的尾巴怎么卷起来了！不要怕，跟着我不会寂寞的！我给你起一个漂亮的、和你相称的名字。你会是我的儿子、吸管的兄弟，可爱的小老鼠皮皮顿！”

猴子们听到后都笑得前仰后合。

“我不想当皮皮顿！这是什么名字呀，皮皮顿！”贼仔惊恐地说。

真尼立刻想出了一个绕口令：

在浅滩闲逛发现皮皮顿，
在浅滩粗心丢了皮皮顿。

猫头鹰走到贼仔面前，打了他后脑勺一下。

“我一直都在说：‘并非所有的动物都是黄鼠狼，并非所有的鸟都是出版商！’”

母鸡真理报

贼仔找到了自己的幸福！
现在动物城终于可以平静一阵子了！
特大新闻！厚颜无耻的剽窃！
昨天有两份名字相似的报纸出售：《毛驴真理报》和《山羊真理报》。不要相信，这是恬不知耻的骗子！真理只有一个！真理在我们这里！真理万岁！请读我们的报纸！

你们最好的朋友和诚实的记者
母鸡苦大哈

第二十五章
我们会记住你们！

当你们远走异国他乡，

也带走了香蕉和船长。

暴风雨卷走椰子、菠萝，

航行中水手们吃喝正常！

动物们围在猫侦探达芬奇周围对他表示感谢。松鼠幸福地逐个拥抱每一位，她说非常想念大家，从今以后再也不离开朋友们了。最后她竟然拥抱了棕榈树，实在是太尴尬了，只好顺势把这棵树赞美一番。

猴子们痛苦地叹气：“如果你们都走了，我们这里既没有国王，也没有女王了！我们可怎么生活呀？我们听谁的吩咐啊？谁来解决我们的问题呀？”

“这些问题不一定需要国王。”猫侦探达芬奇解释，“如果你们非常想有一个国王或女王，那你们可以自己按顺序排班，一天是国王，一天是女王，这样谁也不遗憾！相反，大家都幸福快乐！”

猴子们高兴极了，因此他们决定马上举行庆祝活动。

很快就到了傍晚，岸边燃起了无数堆篝火，摆上了各种美味佳肴。真尼组织了一个乐队。老鼠们和宠物鼠组成一个小合唱队，还取了一个好听的名字，叫“明星伴唱团。”

动物们在梦魇海的岸边，在辽阔的天空下愉快地跳舞、唱歌，一直狂欢到清晨。篝火沿着海岸若隐若现，小小的黄色火星儿冲向天空，直奔星星飞去。八爪怪们看见篝火也游了过来，更增添了庆祝活动的欢快气氛。原来，八爪怪的岛屿距离猴岛很近。

到处都是歌舞升平的场面！八爪怪们跺爪，猴子们跳高，其他动物们跳舞。鹦鹉在火山的最顶端给自己编织了一个窝。他在那里放烟火，也还像以前那样往下扔水藻。

猫侦探达芬奇坐在篝火旁的一根原木上，给新朋友们讲述他所经历过的既有趣又惊险的故事，猴子们都屏息凝神地听着。

“他是天才，天才！”他们非常兴奋地呼喊着。

老鼠们愉快地点头，有猫侦探这样优秀的朋友，他们骄傲得都有点儿不好意思了。

“我们自己都知道他是天才！我和其他动物都不交往！”猫头鹰意外地嘟囔了一句，她坐在篝火旁，已经在晚会上第二次朗读她那本失而复得的书了，为自己的作品而陶醉。

只有那个过去的贼仔，现在是小小的、委屈的皮皮顿，

什么也不想听。虽然海盗和猴子们三番五次地邀请，但是他既不躲爪子，又不跳高，也不参加跳舞。贼仔等到谁都不注意他的时候，悄悄地走近了八爪怪的单桅帆船。

“愚蠢的动物们！”贼仔抓起船桨，嘴里嘟囔着。

“无论谁，无论什么时候，无论什么原因，你们都别想抓住皮皮顿，不，是贼仔！我还没全部和你们讲呢！别高兴得太早，我还会回来的！你们都等着被吓得颤抖吧，哭哭啼啼请求原谅吧，不过已经晚了。”

后面传来猴子们非常愉快的、震耳欲聋的歌声。

贼仔皱着眉头，看了看高挂在海上的明月，开始划桨。

小船纹丝不动。贼仔使出全身的力气，但是船仍然不动。他感觉小船好像装满了铁块。

“唉，这是怎么回事呀？”贼仔回过身，吓得尖叫一声。

桶妈在他身后坐着，喘着粗气，挥动着棕榈枝。她朝这个不知悔改的坏蛋愉快地眨着眼睛，嘿嘿地嘲笑说：

“喂，打算去哪里呀，我的紫色小儿子皮皮顿？在海岛周围转了一圈了，我非常喜欢在月下划船！给我说说皮皮顿的秘密吧。”

贼仔尖叫着咬自己的尾巴。

早晨，猴子们划着很长的舢板把帆船从浅滩拖了过来。他们用各种花草和水果把帆船装饰了一番，又送给每一位来客一块金锭。

就连贼仔都被猴子们的好客惊到，他们也送给他一块金锭、一捆香蕉。每一个长尾猴都亲吻了他的鼻子。

猫侦探达芬奇告诉猴子们如何通过通心粉状的狭窄盆地，让猴子们能去他那里做客，他自己也答应会来拜访猴子们。他甚至还邀请猴子们去动物城参加他的生日派对。

“哪天是你的生日呀？”老鼠们惊奇地问。

“我出生那天就是我的生日。作为真正的天才，我想哪天出生就哪天出生。我想我们航行到家的时候，正好就是庆贺我生日之时！”

球恰走到贼仔跟前问道：“贼仔，在我们飞越通心粉状的狭窄盆地时，你怎么没从小船上摔出去呢？要知道当时小船应该不是吊挂在缆绳上，而是完全与大船脱离了呀。”

“是我救了他！我是英雄好汉！”鲁滨逊插话说，“信号灯哥伦布拉来一张帆，我把它给了贼仔。他用泡沫把帆充满，小船就跟着帆船飞过去了。”

帆船驶离猴岛，猴子们的歌声仍然随着海浪长时间地回荡着。下面是乌古哈记下的部分歌词：

猴子们，猴子们，
忠厚朴实的朋友们！
椰子、蔬菜和香蕉，
猴岛上多得不得了！
日子简单又潇洒，
热带海岸美如画。
莫请外客来上岛，
称王称霸又骚扰！

贼仔在船尾站了好长好长时间，看着越来越小的猴岛，直到它彻底消失在视线中。

第二十六章
猫侦探达芬奇的生日

假如我们这些无名鼠辈，
不加入侦探的天才团队，
何以大海航行见世面，
恐怕寸步难行无进退！

“你们又在电视和《母鸡真理报》上目睹了我的风采！你们的苦大哈，第一个到处出头露面的母鸡！”著名女记者对着摄像机大喊，卖弄地整理一下从猴岛带回来的项链，想让大家看到她可不是一只普通的母鸡，而是走遍天涯、见多识广的著名母鸡。

她接着说道：“特大新闻！最庄严的一天来到了！今天，我们和全宇宙一起迎接猫侦探达芬奇！十二点整，他的‘无畏号’帆船胜利返航，回到了动物城！同行的动物们都受到英雄般的接待！松鼠布拉卡被救回来了，动物城丢失的贵重物品都找回来了，坏蛋贼仔已被抓获！此外，每一位想去神奇猴岛的动物都可以乘船过去，那里珠宝遍地，想拿多少都随意！接下来最有意义的事情，就是在长条广场上直播我们为著名天才，也就是英雄猫侦探达芬奇庆祝生日的场景！”

“全宇宙的天才们都来参加这个隆重的庆祝活动。只有今天，只有此时此刻，我们才能迎接这些著名的天才们，其中有毕-毕加索、库-库-因志、米奇-毛斯-朗琪罗、戈比金和福日戈比金、巴-巴赫、帕盖-尼尼、斯特劳斯、莎士比亚、苏斯金、扎乌辛娜，以及许多其他天才。你们还能看到从梦魇海来的特良姆-特良施卡部落的宾客，从前的海盗桶妈和她的团队，还有坏蛋贼仔——他正在接受再教育，现在的名字叫皮皮顿！”

猫侦探达芬奇的团队受到了极其热烈的欢迎！每一位成员的脖子上都戴上了花环。大家都紧握他们的爪子和翅膀。

达芬奇从来没有这么愉快地庆祝过生日！生日会也从来没有过这么多的来宾！

动物城的中心广场上举行了大型庆祝活动。娱乐节目应有尽有，音乐声在广场上空回荡。动物们在路灯和树枝上挂满了彩带和祝贺的条幅。来客们穿着狂欢节的盛装翩翩起舞。广场上欢声笑语此起彼伏。花猫穆拉扎福卡、刺猬阿加西、信号灯哥伦布及宠物鼠鲁滨逊用小推车给来宾送来了美味佳肴，款待他们。实际上，宠物鼠没派上什么用场，因为他把头埋进食品里，他牙齿碰到的地方都留下了牙印儿。他甚至还咬了手推车一口。

广场中心转动着旋转木马，谁都可以随心所欲，想转多久就转多久。旁边独立的小广场上可以骑塑料小矮马、小象和小鳄鱼。

只有乌古哈没在任何地方蹦跳，也没跳舞，她像中了魔法似的看着天才们——他们正争先恐后地介绍自己的最新发明。大家都对猫侦探达芬奇赞不绝口，也不忘夸耀自己、彼此恭维，还对乌龟莎娃称赞有加。莎娃正为找回保险柜高兴不已。让大家惊奇的是，莎娃藏在龟甲里以后，头能从上面不同的洞口任意伸缩。谁要能猜出莎娃从哪个洞口伸出头，莎娃就以庆祝的名义奖励他一块宝石。没猜中的也会给一块小石头——虽然不是宝石，但也非常漂亮。

猫头鹰记下了所有天才的名字，含糊地答应要签什么不太明确的合同。

这时候，舞台上，方形乌贼在轮子上表演了独一无二的节目，一下子占据了所有杂志的封面。

她瞬间就成了大明星。猫侦探达芬奇之前的预言果然成真了。松鼠布拉卡和花猫穆拉扎福卡得意地在舞台附近散步。她们穿着自己最漂亮的连衣裙，并为此骄傲得要命。

狗熊傻东也表演了一个节目，就是“咔嚓”一声折断事先锯好的原木。

在灯火通明的小广场上，真尼站在一棵树上为猫侦探唱生日歌，还不时地咬一口由一百个小球组成的彩色冰激凌，以至于忘记了主旋律。生日歌由欢快歌曲转到抒情歌曲，最后完全变成了进行曲。

生日就是这一天，
不是马也不是炮，
出生就是在夏天，
啦啦啦，我要大声唱！

生日就是这一天，
不是一周一月和一年，
这一天需要好好纪念，
侦探出生在这一天！
副歌：噢——噢——噢！（唱两遍）

猴子们用从岛上带来的乐器为他低声伴奏，长尾猴跳着欢快的舞蹈，原来的海盗们前仰后合地哈哈大笑。

要知道，这样盛大的庆祝活动只是为一个动物举办的！

猫侦探达芬奇坐在旋转木马旁边的小桌子后面，愉快

地接受祝贺。他身旁一大堆礼品盒、礼品包和其他有趣的东西，其中有足球衫、玩具、小球、书籍、成套化妆品、十个同样的公文包……上面都画着猫侦探达芬奇的肖像。

“嗯，很好！”猫侦探高兴地说，“我现在可以用我的名字开一个博物馆，陈列大家送给我的所有礼物！乌拉！”

“乌拉！”大家欢呼，桶妈甚至感动地亲了一下贼仔的鼻子。母野猪现在到哪里都带着贼仔，寸步不离。贼仔不停地嘶叫着，以至于错过了所有最有趣的事。刺猬阿加西和特拉寇莎（她其实是小青蛙）跑到舞台后面。几分钟后动物们头上突然出现几千个气球。这些五彩缤纷的气球在城市上空旋转飞舞，汇成一条巨大

的彩虹，最后又变成字幕。

字幕在空中没悬浮多久，然后就降落到广场上。每一个气球上都挂着一个小盒子，里面是让你惊喜的礼物，有响炮、闪光小星星、金色烟雾、绿色纽扣和其他各种各样稀奇古怪的小东西。

动物们兴致勃勃地收集着让他们惊喜的礼物，能拿多少拿多少。鲁滨逊像以往一样，非常卖力地拿了好多气球，以至于自己在广场上飞了起来，最后竟挂到路灯上，只好由长颈鹿把他摘下来。

然后动物们放焰火、乘五颜六色的小船在河里游玩。

这是一个无比欢快的生日聚会！所有的动物都非常幸福、愉快！

母鸡真理报

特大新闻！

猫侦探达芬奇准备庆祝自己的生日！所有想送他礼物的动物，请将礼物寄到我们编辑部！我们将如数转交给他，不会对他收取任何费用。因为猫侦探是我们的朋友！

母鸡苦大哈

个人声明

喜欢拉雪橇，也喜欢拉其他的车。

老马恰嘎

我捕捉所有飞行的语言。

麻雀

结局

“哼！哼！”贼仔想，“就让大家都以为是结束了吧。可我知道，实际上这才是刚刚开始！”

贼仔悄悄地从桶妈的蹄子下爬出来，躲藏在天才们中间。天才太多了，在他们中间出现一个普通的动物很少有人会发现。

一切都结束了！！

我，猫头鹰，
怎么能不骄傲？
不管怎么说，
我是重要的鸟！

尾声

乌古哈踏着早晨第一缕阳光，翅膀下夹着那本失而复得的书，走进了森林。

“读者们！”乌古哈用她嘶哑的声音说，“我带来了我的最新作品。”

这时从草丛里伸出一对纤细的、毛茸茸的爪子，小尾巴愉快地抖动着。然后书就消失不见了。森林里长时间地响着此起彼伏的欢声笑语。

猫头鹰站了一会，把嘴伸往空中，扇动一下翅膀，踹了一脚树根。

“看吧，像以往一样！写呀写，努力呀努力。最后他们拿起来就跑了，连一声谢谢都不说！回去再写什么新的故事吧，敬请期待！不过，我要为此忍受折磨！”

海盗小知识

海盗的历史源远流长。有历史学家认为，早在公元前 14 世纪海盗就已经出现。真正的海盗是一群不法之徒，他们经常抢劫商船、掠夺沿海地区居民的财产。

海盗曾频频登上历史的舞台，其中比较著名的海盗，是维京海盗，也叫做“北欧海盗”。这些维京海盗身强体壮、勇猛好斗。他们曾在长达数个世纪的时间里横扫欧洲，对欧洲历史产生过深远的影响。

随着新航路的开辟，航海贸易得到迅速发展。满载着黄金、珠宝等贵重物品的船只刺激了海盗的欲望。因此，在这个时期，海盗活动变得更加频繁，也涌现出了一批著名的海盗头子。基德船长、“黑胡子”蒂奇、“黑色准男爵”罗伯茨，都是这个时期的传奇海盗。

工业革命以后，各国海军的军事实力大大增强。各国政府为了加强海防和保护本国的商船，开始联合起来打击海盗。海盗们受到海军的重创，从此一蹶不振，再没有往日的“辉煌”。